동아시아 사상의 뿌리
유교를 창시한 공자의 가르침

에스페란토와 함께 읽는 논어
ANALEKTOJ DE KONFUCEO

왕숭방(王崇芳) 에스페란토 옮김

오태영 옮김

에스페란토와 함께 읽는 논어

인　　쇄 : 2022년 12월 26일 초판 1쇄
발　　행 : 2023년 03월 10일 초판 2쇄
에스페란토 역 : 왕숭방(Wang Chongfang)
옮긴이 : 오태영(Mateno)
표지디자인 : 노혜지
펴낸이 : 오태영(Mateno)
출판사 : 진달래
신고 번호 : 제25100-2020-000085호
신고 일자 : 2020.10.29
주　　소 : 서울시 구로구 부일로 985, 101호
전　　화 : 02-2688-1561
팩　　스 : 0504-200-1561
이메일 : 5morning@naver.com
인쇄소 : TECH D & P(마포구)

값 : 12,000원
ISBN : 979-11-91643-78-7(03140)
ⓒ Wang Chongfang, 오태영

동아시아 사상의 뿌리
유교를 창시한 공자의 가르침

에스페란토와 함께 읽는 논어
ANALEKTOJ DE KONFUCEO

왕숭방(王崇芳) 에스페란토 옮김

오태영 옮김

진달래 출판사

ANALEKTOJ DE KONFUCEO

ĈINA ESPERANTO-ELDONEJO BEIJING 1996
Unua eldono

Tradukita de Wang Chongfang

ISBN 7 - 5052 - 0289 - 8

Eldonita de la Ĉina Esperanto-Eldonejo P.O. Kesto 77,
Beijing 100037, Ĉinio Distribuata de El Popola Ĉinio
P.O. Kesto 77, Beijing 100037, Ĉinio

Presita en la Ĉina Popola Respubliko

ENHAVO 목차

ANTAŬPAROLO

«Analektoj de Konfuceo», la konfuceana Biblio, estas kolekto de eldiroj kaj anekdotoj de Konfuceo kaj liaj disĉiploj. Ĝi estis kompilita de disĉiploj de Konfuceo kaj disĉiploj de liaj disĉiploj post lia morto. La libro konsistas el dudek ĉapitroj kaj ĉiu ĉapitro kun nombro da sekcioj, kaj ĉiu sekcio enhavas en si unu aŭ pli da pecoj de parolo aŭ unu anekdoton. La enhavo de tiu ĉi verko estas tre ampleksa. Ĝi inkluzivas vidpunktojn de Konfuceo pri politiko, filozofio, eduko, etiko, principoj de morala konduto, literaturo, artoj ktp.

Konfuceo (551-479 a. K.) naskiĝis en la urbo Zou (la nuna Qufu, Shandong-provinco) de Lu-regno. Lia ĉina nomo estas Kong Qiu (Kong estas lia familia nomo kaj Qiu sona nomo), lia adoltiĝa nomo estas Zhongni. La ĉinoj kutime respekte nomas lin Kong Fuzi (Majstro Kong), kiu estis latinigita kiel Confucius. La Esperanta nomo "Konfuceo" devenas de la latina formo. La prapatroj de Konfuceo estis nobeloj de Song-regno. Ĉar en tiu regno okazis interna milito, lia praavo fuĝis en Lu-regnon kaj fiksloĝiĝis tie. La patro de Konfuceo, Kong He, estis nobelo de Lu-regno. Kiam Konfuceo estis en la aĝo de tri jaroj, mortis lia patro, kaj pro tio la orfo vivis mizeran vivon. Pri sia juneco Konfuceo diris: "Kiam mi estis juna, mi estis malriĉa, kaj tial mi akiris al mi la kapablon fari multajn praktikajn aferojn."

서문

유교 경전인 『논어』는 공자와 그의 제자들의 말과 일화를 모아 놓은 것입니다. 공자의 제자와 그 제자의 제자들이 공자의 사후에 편찬한 것입니다.

이 책은 20개의 장으로 구성되어 있으며 각 장에는 여러 개의 단락(段落)이 있으며 각 단락에는 하나 이상의 연설이나 일화가 포함되어 있습니다.

이 책의 내용은 매우 광범위합니다.

여기에는 정치, 철학, 교육, 윤리, 도덕 원칙, 문학, 예술 등에 대한 공자의 견해가 포함됩니다.

공자(孔子, 551-479 BC)는 노나라 저우(지금의 산동성 취푸)시에서 태어났습니다. 그의 중국 이름은 공 치우Kong Qiu(공Kong은 성이고 치우Qiu는 이름)이고 성인 이름은 종니Zhongni입니다. 중국인들은 일반적으로 그를 공자(孔子, 공 선생님)로 공경하여 부르는데 그 이름을 라틴어로 쓴 것이 공푸지(Kong Fuzi)입니다. 에스페란토 이름 '곤푸쩨오Konfuceo'는 라틴어 형식에서 유래했습니다.

공자의 조상은 송나라의 귀족이었습니다. 그 나라에 내란이 있었기 때문에 그의 증조부는 노나라로 도망쳐 그곳에 정착했습니다. 공자의 아버지 공혜는 노나라의 귀족이었습니다. 공자(孔子)가 세 살 때 아버지가 돌아가셔서 고아로 불행한 삶을 살았습니다. 공자는 자신의 젊음에 대해 이렇게 말했습니다.

"어렸을 때 나는 가난했기 때문에 많은 실용적인 일을 할 수 있는 능력을 얻었습니다."

Dum sia juneco li perlaboris siajn vivrimedojn, sin okupante pri funebra muzikludado. Post la aĝo de dudek jaroj li laboris sinsekve kiel gardisto de grentenejo kaj malaltranga oficisto estranta la brutbredadon. Dume li dediĉis siajn liberajn horojn al lernado, kaj dank'al sia granda diligenteco li fariĝis homo erudicia. Kiam li estis en la aĝo de ĉirkaŭ tridek jaroj, li fondis privatan lernejon kaj vaste varbis disciplojn, por instrui siajn sciojn al homoj de diversaj tavoloj de la socio. La ĉefaj agadoj dum lia tuta vivo estis instruado kaj editorado de klasikaĵoj. En la aĝo de kvardek sep jaroj li fariĝis prefekto de la ĉefurbo de Lu-regno kaj, pli poste, ministro pri domkonstruado kaj kriminala ĉefjuĝisto. En sia kvindek-kvara jaro li funkciis kiel provizora ĉefministro de Lu-regno dum tri monatoj. Ĉar la suvereno de Lu-regno ricevis de Qi-regno muzikistinojn kiel donacon, kiuj tiel ravis la suverenon, ke eĉ dum tri tagoj li okazigis nenian kortegan aŭdiencon, Konfuceo kun indigno forlasis Lu-regnon kaj, akompanate de siaj disĉiploj, komencis vojaĝadon kun la celo propagandi sian doktrinon. Lia vojaĝado daŭris dek kvar jarojn. Li alvenis al Wei-, Cao-, Song-, Zheng-, Chen-, Cai-, kaj Chu-regnoj, sed neniu regnestro volis akcepti lian doktrinon kaj komisii al li ian oficon. En sia sesdek-oka jaro li revenis en Lu-regnon, kaj de tiam li plene dediĉis sin al instruado, studado kaj editorado de klasikaĵoj.

공자는 어린 시절 장례 음악을 연주하여 생계를 꾸렸습니다.
20세 이후에는 곡창지기와 가축 사육을 담당하는 하급 관리를 차례로 역임했습니다.
한편 여가 시간을 배움에 바쳤고, 대단히 근면해서 학문에 뛰어난 사람이 되었습니다.
서른 살이 되었을 때 사립 학교를 설립하고 다양한 계층의 사람들에게 지식을 가르치려고 제자들을 널리 모집했습니다.
평생 주요 활동은 고전을 가르치고 편집하는 것이었습니다.
47세에 노(魯)나라 수도의 지사가 되었고, 후에 주택건설부 장관과 법무부 장관이 되었습니다.
54세에 3개월 동안 노나라의 임시 총리를 역임했습니다. 노(魯)나라의 군주가 제(齊)나라의 매혹적인 여자 악사(樂士) 여럿을 선물로 취하여 사흘 동안 정사를 돌보지 않았기에, 공자는 분개하여 제자들과 함께 노(魯)나라를 떠나 자기 이상을 전파할 목적으로 여행을 떠났습니다.
여행은 14년 동안 지속되었습니다. 위, 제, 송, 정, 진, 채, 초나라에 도착했지만 어떤 통치자도 이상을 받아들이고 직위를 맡기기를 원하지 않았습니다.
68세에 노나라로 돌아와서 고전을 가르치고 연구하고 편집하는 일에 전념하였습니다.

Li diligente laboris super «Libro de Poezio», «Libro de Historio», «Libro de ŝanĝiĝoj» k.a. kaj donis al ili definitivan libran formon. Li ankaŭ kompilis la kronikon «Printempo kaj Aŭtuno». Kiam li atingis la aĝon de sepdek du jaroj, li finis la kompiladon de la kroniko. Li mortis en la aĝo de 73 jaroj.

Konfuceo vivis en la lasta tempodaŭro de la Periodo Printempo kaj Aŭtuno (770-476 a. K.). Tiam la regado de Zhoudinastio (ĉ. 1066-256 a. K.) disfalis, senĉesaj militoj okazis inter diversaj regnoj, kaj malordo regis ĉie en la lando. Konfuceo faris diversajn proponojn, por reformi la politikon. Politike li estis reformisto. La kerno de lia ideologio estis "perfekta virto", kaj lia politika idealo estis efektivigi humanan regadon. Kiam lia disĉiplo Fan Chi demandis lin, kio estas la perfekta virto, li respondis: "Ĝi estas ami ĉiujn homojn." Li tenis sin je la principoj : "Ne faru al aliaj tion, kion vi ne dezirus fari al vi mem" kaj "Vi mem deziras stari, tiam helpu aliajn stariĝi; vi mem deziras sukceson, tiam helpu aliajn atingi la samon. Li ankaŭ insistis, ke la reganto "regu per la forto de sia virto" kaj "donu bonan ekzemplon por siaj subuloj, pardonu iliajn eraretojn kaj promociu homojn virtajn kaj talentajn". Li esperis, ke per efektivigo de la humana regado la rilatoj interne de la reganta klaso povos harmoniiĝi kaj la kontraŭdiroj inter la regantoj kaj regatoj povos malakriĝi, tiel ke aperos tia ideala sociordo, en kiu "la princo estu princo, la ministro estu ministro, la patro estu patro kaj la filo estu filo".

공자는 『시경』, 『서경』, 『주역』 등을 열심히 작업해서 확실한 책 형태를 만듭니다.

또한 연대기 『춘추』를 편집했습니다.

72세가 되었을 때 연대기 편찬을 마쳤습니다.

73세의 나이로 세상을 떠났습니다.

공자는 춘추시대 말기(기원전 770-476년)에 살았습니다.

그 후 주(周) 왕조(기원전 1066-256년)의 통치가 무너지고 여러 나라 사이에 끊임없는 전쟁이 일어났으며 전국에 무질서가 난무했습니다.

공자는 정치 개혁을 위해 다양한 제안을 했습니다.

정치적으로는 개혁주의자였습니다.

이념의 핵심은 '완벽한 덕'이었고 정치적 이상은 인도적 통치를 구현하는 것이었습니다.

제자 번지(Fan Chi)가 완전한 덕이 무엇인지 묻자 "만인을 사랑하는 것"이라고 대답했습니다. 공자는 원칙을 고수했습니다. "자신이 하고 싶지 않은 일을 남에게 하지 마세요" "자신이 서고 싶다면 남을 도와주세요. 당신 자신이 성공을 원하고 다른 사람들이 같은 것을 성취하도록 도우십시오"

또한 통치자가 "덕의 힘으로 통치"하고 "아랫 사람에게 좋은 본보기를 보이고 그들의 실수를 용서하며 유덕하고 재능있는 사람들을 육성"해야한다고 주장했습니다.

인도적인 통치의 구현을 통해 통치 계급 내의 관계가 화합하고 지배자와 피지배자 사이의 모순이 해소되어 결국 '군주는 군주답고, 신하는 신하답고, 아버지는 아버지답고 아들은 아들다운' 이상적인 사회질서가 형성되길 바랐습니다.

Tiu ĉi lia politika idealo, kompreneble, estis tute nerealigebla en lia tempo.

Heredinte la tradician koncepton pri ĉielo, Konfuceo konfesis Ĉielon kiel ĉiopovan estaĵon, kiu decidas pri la naskiĝo kaj morto de la homo kaj pri la homa feliĉo aŭ malfeliĉo. La volo de Ĉielo, laŭ li, ne estas malobeebla. Li diris, ke oni devas "timi la volon de Ĉielo" kaj ke "al tiu, kiu ofendas ĉielon, preĝoj neniel helpas". Koncerne epistemologion, unuflanke li opiniis, ke troviĝas geniuloj, kiuj "naskiĝas kun la posedo de scioj", aliflanke li emfazis la gravecon de lernado. Li diris: "En niaj naturoj ni estas similaj unu al alia, sed kutimoj faras nin diferencaj inter ni." Li neis, ke li mem estas tia homo, kiu havas kunnaskitajn sciojn. Kvankam en la tempo de Konfuceo regis superstiĉo pri fantomoj kaj dioj, tamen li ne estis tiel pia al ili. Li diris: "Respektante la spiritojn, la saĝa homo devas forteni sin de ili." Kiam la disĉiplo Zilu demandis pri la servado al la spiritoj de mortintoj, li respondis: "Dum vi ankoraŭ ne povas servi al vivantoj, kiel vi povus servi al la spiritoj de mortintoj?" Lia nekredo je spiritoj montras, ke troviĝas iom da materiisma elemento en lia filozofia penso, kaj tial estas malfacile diri, ĉu lia ideologio estas ideisma aŭ materiisma.

Rilate la kontraŭdiron inter pravo kaj malpravo, Konfuceo insistis pri la principo de la Ĝusta Mezo, nome eklektika filozofio, kaj, oponis kontraŭ ekstremaj opinioj kaj rimedoj. Laŭ li la homaj paroloj kaj agoj ne devas esti troaj, nek maltroaj.

물론 이러한 정치적 이상은 그 시대에는 완전히 실현할 수 없었습니다.

공자는 하늘에 대한 전통적인 개념을 계승하여 하늘을 인간의 탄생과 죽음, 인간의 행복과 불행을 결정하는 전능한 존재로 인정했습니다. 그래서 하늘의 뜻은 거역할 수 없습니다.

"하늘의 뜻을 두려워해야" 하며 "하늘을 거스르는 자에게 기도는 어떤 식으로든 도움이 되지 않는다" 고 말했습니다.

인식론과 관련하여 한편으로 '지식을 가지고 태어난' 천재가 있다고 생각했고, 한편으로는 배움의 중요성을 강조했습니다.

"우리의 본성은 서로 비슷하지만 습관은 우리를 서로 다르게 만든다." 고 말했습니다.

자신이 타고난 지식을 가진 사람은 아니라고 했습니다.

공자(孔子) 시대에는 유령과 귀신에 대한 미신이 있었지만 신에 대해서는 그다지 경건하지 않았습니다.

"현자는 영을 공경하되 멀리해야 한다." 고 말했습니다. 제자 자로(Zilu)가 죽은 자의 영을 섬기는 것에 대해 물었을 때 "산 자에 대해서도 아직 섬기지 못하는데 어찌 죽은 자의 영을 섬기겠는가" 라고 대답했습니다.

영에 대한 불신은 철학적 사상에서 어느 정도 물질주의적 요소가 있음을 보여주므로 공자의 이념이 이상주의적이거나 물질주의적이라고 말하기 어렵습니다.

공자는 옳고 그름의 모순에 대해 중도의 원칙, 즉 절충주의를 주장하고 극단적인 견해와 조치를 반대했습니다. 그래서 인간의 말과 행동은 과도해서도 과소해서도 안 됩니다.

"La transiro de la Ĝusta Mezo estas same malbona, kiel la neatingo." La tezo de Konfuceo pri la Ĝusta Mezo havas profundan influon sur la postaj generacioj de la ĉinoj.

La eldiroj de Konfuceo pri la eduko estas aparte valoraj. Li diris: "Instruado konas neniajn kastojn." Li ne rifuzis instrui ĉiujn tiujn, kiuj volis studi sub li, tute egale, ĉu ili estis nobeloj aŭ ordinaraj homoj, ĉu riĉuloj aŭ malriĉuloj. Li aplikis la instrumetodon doni al ĉiu lernanto instruon konforman al lia kapablo. Li opiniis, ke en la lernado oni "ne devas fari konjekton, nek absolutan jesigon; ne devas obstini, nek opinii sin ĉiam prava". Dum sia tuta vivo li ĉiam "lernadis sen enuo kaj instruadis sen laciĝo". Sed li malestimis lernadon de terkulturado. Kiam lia disĉipo Fan Chi petis instrui al li terkulturadon kaj legomplantadon, li riproĉe diris, ke Fan Chi estas "malgranda homo".

Konfuceo esprimis siajn opiniojn ankaŭ pri literaturo. Li diris al siaj disĉiploj: "La Poemoj povas helpi al vi eksciti vian imagon, altigi vian observkapablon, vivi en akordo kun aliaj, lerni kiel fari satiradon. Ili povas esti uzataj en la servado al viaj gepatroj en la hejmo kaj en la servado al la princo en lia palaco. Plie, ili povas ankaŭ plivastigi vian konon pri la nomoj de birdoj, bestoj kaj plantoj." Ĉi tiuj liaj vortoj montras, ke li jam sufiĉe konsciis, ke la poeziaĵoj havas valoron en edukado kaj mondkonado kaj eĉ povas servi al la regnoregado. Konfuceo diris ankaŭ: "Estas sufiĉe, se la vortoj povas klare esprimi la penson."

"중용의 전환은 그것을 달성하지 못한 것만큼 나쁘다."

중용에 관한 공자의 논지는 후대 중국인들에게 지대한 영향을 미쳤습니다.

교육에 관한 공자의 말씀은 특히 가치가 있습니다.

"가르치는 것은 계급을 모른다." 라고 말했습니다.

귀족이건 서민이건, 부자건 가난한 사람이건 상관없이 자기 밑에서 공부하기를 원하는 모든 사람을 가르치는 것을 거부하지 않았습니다. 학생 개개인의 능력에 맞게 교육하는 교수법을 적용했습니다. 학습에 있어 "추측하거나 절대적인 확인을 해서는 안 된다. 완고하지도 않고 항상 자신이 옳다고 생각하지도 않아야 한다." 라고 주장했습니다. 평생 항상 "지루하지 않고 배우고 지치지 않고" 가르쳤습니다. 그러나 농사를 배우는 것을 경멸했습니다. 제자 번지가 농사와 채소 심는 법 가르쳐 줄 것을 요청했을 때 번지는 "작은 사람" 이라고 질책했습니다.

공자는 문학에 대한 견해도 밝혔습니다.

제자들에게 이렇게 말했습니다.

"시는 상상력을 일으키며 관찰력을 높이며 무리와 사귀게 하며 풍자하는 방법을 배우는 데 도움이 있게 한다. 집에서 부모를 섬기며 궁전에서 임금을 섬기는 데 사용할 수 있다. 또한 새, 동물 및 식물의 이름에 대한 지식을 확장할 수도 있다."

이 말은 시라는 것이 교육과 세상에 대한 지식에서 가치가 있으며 나라를 다스리는데 섬길 수 있다는 것을 이미 충분히 알고 있었음을 보여줍니다. 공자는 "말이 생각을 분명히 표현할 수 있으면 충분하다." 고 말했습니다.

Tio signifas, ke por eldiri siajn pensojn kaj verki literaturaĵojn oni preferas direkti sian atenton al la klareco, ol al la floroj de retoriko. Tio estas la plej frua literatura kritiko en la historio de Ĉinio.

Konfuceo ankaŭ donis grandan atenton al la kulturado de la moralaj kvalitoj de la homoj. Li diris: "La komandanto povas esti kaptita for de sia armeo, sed la volo de eĉ ordinara homo ne povas esti prenita for de li." Kial la volo ne povas esti prenita? Ĉar ankaŭ la ordinara homo havas sian nehumiligeblan sendependan karakteron. Pri la demandoj, kiajn moralajn kvalitojn oni devas posedi kaj kiel oni povas kulturi tiajn kvalitojn, Konfuceo parolis multe. Interalie li diris: "Mielaj vortoj kaj hipokrita mieno estas ne ligitaj kun la vera virto." "Frostiĝas, kaj ni ekscias, ke la pinoj kaj cipresoj perdas siajn foliojn la lastaj." "Kiam vi vidas homon bonan, pensu pri egaliĝo al li; kiam vi vidas homon nebonan, faru en vi memekzamenon." "Riĉaĵoj kaj honoroj maljuste akiritaj estus por mi kiel flosantaj nuboj." Ĉiuj ĉi vortoj de Konfuceo enhavas en si tre belajn moralajn ideojn kaj veron de la vivo. Ili disradias la brilon de saĝeco kaj meritas nian foj-refojan legadon.

La lingvo en «Analektoj de Konfuceo» estas konciza kaj flua. Kvankam la libro konsistas ĉefe el mallongaj konversacioj inter Konfuceo kaj liaj disĉiploj aŭ liaj respondoj al demandoj levitaj de liaj disĉiploj, tamen la ideoj esprimitaj en ili estas tre riĉaj kaj profundaj.

이것은 자신의 생각을 표현하고 문학 작품을 쓰기 위해 수사학의 꽃보다 명료성에 주의를 기울이는 것을 선호한다는 것을 의미합니다. 이것은 중국 역사상 최초의 문학 비평입니다.

공자는 또한 사람들의 도덕성을 함양하는 데 많은 관심을 기울였습니다.
"지휘관은 자기 군대에서 사로잡힐 수 있으나 필부의 뜻만은 빼앗을 수 없다."고 말했습니다. 왜 뜻을 빼앗을 수 없는가? 평범한 사람에게도 불굴의 독립성이 있기 때문입니다.
공자는 사람이 갖추어야 할 도덕적 자질과 그러한 자질을 기르는 방법에 대해 많은 이야기를 나눴습니다. 무엇보다도 "말을 교묘하게 하며 얼굴빛을 좋게 하니 진짜 덕과 관계가 없다."고 말했습니다.
"추워진 뒤에야 소나무와 잣나무가 마지막에 시들게 되는 것을 알게 된다." "선한 사람을 보면 그와 동등함을 생각하고, 악한 사람을 보면 속을 성찰하라." "부당하게 얻은 부귀는 나에게 떠다니는 구름과 같다." 공자의 이 모든 말씀은 매우 아름다운 도덕 사상과 삶의 진리를 담고 있습니다. 그것들은 지혜의 광채를 발하고 우리가 반복해서 읽을 가치가 있습니다.
『논어』의 언어는 간결하고 유창합니다. 이 책은 주로 공자와 제자들의 짧은 대화나 제자들이 제기한 질문에 대한 답변으로 구성되어 있지만, 그럼에도 그 안에 표현된 사상은 매우 풍부하고 깊습니다.

Multaj el la eldiroj de Konfuceo jam fariĝis sentencoj kaj aforismoj nun vaste konataj de la ĉinoj. Ekzemple, preskaŭ ĉiuj ĉinoj povas parkere reciti la jenajn fragmentojn: "Se vi lernas ion kaj konstante metas ĝin en praktikon, ĉu tio ne estas plezuro?" "Se vi havas amikojn venintajn de malproksime, ĉu tio ne estas ĝojo?" "Se, ne alte ŝatata de aliaj, vi ne sentas malkontentecon, ĉu tio ne estas la kvalito propra al la noblulo?" "Kiam mi promenas kune kun du aliaj, mi certe havas mian instruiston inter ili." "Mi elektos liajn bonajn kvalitojn por sekvi kaj liajn malbonajn kvalitojn por eviti." "La tempo pasas kaj pasas, kiel la akvo en la rivero, kiu senĉese fluas tage kaj nokte !" "Kiam vi scias ion, diru, ke vi tion scias; kiam vi ne scias ion, konfesu, ke vi tion ne scias. Jen la vera sciado." "Se mi povus aŭdi pri la vero en mateno, mi volonte mortus en tiu vespero." Cetere, en la libro troviĝas ankaŭ anekdotoj kaj plastikaj priskriboj pri la mienoj de Konfuceo kaj liaj disĉiploj dum konversacioj, pri la etoso de konversacioj kaj pri la karakteroj de personoj. Legante la libron ni povas vidi la figuron de Konfuceo. Li estis homo progresema, profundpensa, memfida, lernema, optimisma kaj grandanima. Li diris pri si mem, ke "li estas tia homo, kies fervoro por studado estas tiel forta, ke li eĉ forgesas manĝadon; kies ĝojo en serĉado de estas tiel granda, ke li eĉ forgesas siajn ĉagrenojn kaj ne konscias, ke maljuna aĝo baldaŭ venos al li".

공자의 말 중 많은 부분이 이미 중국인에게 널리 알려진 문장과 격언이 되었습니다.

예를 들어, 거의 모든 중국인은 다음 구절을 마음으로 암송할 수 있습니다.

"배우고 때때로 이를 익히면 또한 기쁘지 아니한가."

"벗이 있어 먼 곳으로부터 찾아오면 또한 즐겁지 아니한가."

"남이 알아주지 아니해도 화내지 않으면 또한 군자가 아니겠는가."

"세 사람이 행하면 반드시 나의 스승이 있다."

"나는 그의 좋은 자질을 따르고 그의 나쁜 자질을 피하겠다."

"이 강의 물처럼 시간이 가고, 낮과 밤을 쉬지 않는구나!"

"아는 것을 안다고 하고 모르는 것은 모른다 하는 것이 바로 안다는 것이다."

"아침에 도를 들으면 저녁에 죽어도 가하도다."

게다가 이 책에는 대화 중 공자와 제자들의 표정, 대화 분위기, 인물에 대한 일화와 조형적 묘사도 있습니다. 책을 읽으면 공자의 모습을 볼 수 있습니다. 공자는 진보적이고, 생각이 깊고, 자신감이 넘치고, 공부가 많으며, 낙관적이며 관대했습니다. 자신에 대해 "공부에 대한 열의가 너무 강해서 먹는 것조차 잊어버리는 성격이다. 연구하는 즐거움이 너무 커서 근심도 잊어버리고 늙어가는 줄도 알지 못하느니라." 고 말했습니다.

Zilu, unu el la plej proksimaj disĉiploj de Konfuceo, estis homo kun karaktero malkaŝema, nefleksema kaj iom impertinenta, kaj Yan Yuan, alia proksima disĉiplo de Konfuceo, estis junulo lernema, pacama, kontenta en malriĉeco kaj sindona al la doktrino, je kiu li sin tenis. Ankaŭ la aliaj personoj en la libro havas ĉiu sian propran karakteron.

La pensoj kaj instruoj de Konfuceo, kiuj ofte estas nomataj konfuceanismo, havas grandan influon sur la disvolviĝo de la ĉina kulturo. Konfuceanismo estis la reganta penso en Ĉinio dum pli ol 2000 jaroj. Ekde Han-dinastio (206 a.K. - 220 p.K.) la feŭdaj regantoj de diversaj dinastioj honoris lin kiel "sanktan saĝulon", donante al li la titolon "Plej Sankta Instruisto". La libro «Analektoj de Konfuceo», en kiu estas registritaj liaj pensoj kaj instruoj, estas la plej grava verko de konfuceanismo. Ĝi longtempe servis kiel la ĉefa, por ĉiuj lernantoj deviga, lernolibro en la feŭdisma Ĉinio.

Jam en 1594 tiu ĉi verko estis tradukita de Matteo Ricci, itala misiisto, en la latinan lingvon. Tio estis la unua fremdlingva traduko de «Analektoj de Konfuceo». De tiam, precipe en tiu ĉi jarcento, aperis multaj fremdlingvaj tradukoj de tiu ĉi fama verko. Sed bedaŭrinde ĝis nun ne ekzistis ĝia Esperanta versio. Por kontentigi la esperantistan publikon, kiu ja deziras legi ĉinajn verkojn en Esperanto, nun mi prezentas al ĝi tiun ĉi mian tradukon.

공자(孔子)의 가장 가까운 제자 중 하나인 자로(子魯)는 솔직하고 융통성이 없고 다소 무례한 성품을 가진 사람이었고, 또 다른 가까운 제자인 연원(延元)은 공부를 좋아하고 평화로운 청년으로 가난에 만족하며 자신의 신념에 충실했다. 책에 나오는 다른 사람들도 자신의 특징을 가지고 있습니다.

흔히 유교라고 불리는 공자의 사상과 가르침은 중국 문화의 발전에 큰 영향을 미칩니다.

유교는 2000년 이상 중국에서 지배적인 사상이었습니다.

한나라(기원전 206년 – 서기 220년) 이래로 여러 나라의 봉건 통치자들은 공자를 "성인"으로 추앙하여 "가장 거룩한 스승"이라는 칭호를 드렸습니다.

공자의 사상과 가르침이 기록된 『논어』는 유교의 가장 중요한 책입니다. 오랫동안 중국 봉건 시대의 모든 학생에게 필수 교과서로 사용되었습니다.

이미 1594년에 이 책은 이탈리아 선교사인 마테오 리치에 의해 라틴어로 번역되었습니다. 『논어』《Analects of Confucius》의 첫 번째 외국어 번역이었습니다.

그 이후로 특히 금세기에 이 유명한 작품의 많은 외국어 번역본이 등장했습니다.

그러나 불행히도 지금까지는 에스페란토 판이 없었습니다.

에스페란토로 중국어 작품을 읽고 싶어하는 에스페란티스토 청중을 만족시키기 위해, 이제 나는 그들에게 이 번역본을 제시합니다.

Mi ekvolis traduki tiun ĉi mondfaman verkon en Esperanton jam en la komenco de mia esperantisteco. Mi konvinkiĝis, ke Esperanto multe profitos el la tradukado de tiu ĉi grava verko. Sed la malfacileco de la tradukado estis tiel timige granda, ke mi longatempe ne havis la kuraĝon komenci la laboron. Pasis pli ol tridek jaroj. Nur antaŭ kvar jaroj, instigate de miaj amikoj, mi ekhavis la kuraĝon entrepreni la tradukadon.

Entreprenante tian laboron mi alfrontis du ĉefajn malfacilojn, kiujn mi devis ĉiel venki. Unue, ĉar la originalo estas skribita en la antikva ĉina lingvo, kiun nun konas nur fakuloj, kaj la stilo de la originalo estas treege lakona kun multaj subkomprenitaĵoj kaj ellasoj, tial, legante ĝin oni neeviteble povas de tempo al tempo renkonti malfacile kompreneblajn kaj dubajn lokojn. Tiaokaze mi devis konsulti fidindajn vortarojn kaj diversajn eldonojn de tiu ĉi verko kun komentarioj, por ĝuste kaj plene kompreni la originalan tekston. Due, pro la terure granda diferenco inter la strukturo de la ĉina klasika lingvo kaj tiu de Esperanto, kaj pro la kundensigiteco de saĝaj pensoj esprimitaj en formo de klasika koncizo de la originalo, aperigi tiun ĉi verkon en Esperanta vesto ja estas laboro ŝvitiga, kiu postulas ekstreman klopodon kaj grandan tradukistan lertecon. Ĉar ŝajnis al mi tre valora, elmeti nian karan lingvon kaj min mem al tiu ĉi severa provo, mi ne domaĝis la penon laboregi super la tradukado, penon, kiu ja estis ligita kun nemalgranda plezuro.

저는 에스페란토 초창기에 이미 세계적으로 유명한 이 작품을 에스페란토로 번역하고 싶었고, 이 중요한 작품을 번역하면 에스페란토가 많은 도움을 받을 것이라고 확신했습니다.

하지만 번역의 난이도가 끔찍할 정도로 커서 오랫동안 작업을 시작할 용기가 나지 않았습니다.

30년이 넘는 시간이 흘렀습니다. 불과 4년 전 친구들의 격려에 힘입어 번역을 맡게 되었습니다.

그러한 작업을 수행하면서 나는 모든 면에서 극복해야 하는 두 가지 주요 어려움에 직면했습니다.

첫째, 원문은 지금은 전문가들에게만 알려진 고대 한자로 쓰여져 있고, 원문의 문체는 암시와 누락이 많아 매우 간결하므로 그것을 읽으면 때때로 이해하기 어렵고 의심스러운 곳을 필연적으로 만날 수 있습니다. 그때 나는 원문을 정확하고 완전하게 이해하기 위해 신뢰할 수 있는 사전과 주석이 달린 다양한 판을 참조했습니다.

둘째, 중국고전어와 에스페란토의 구조적 차이가 매우 크고, 원문의 고전적 요약의 형태로 표현된 지혜로운 사상의 조합으로 인해 이 작품을 에스페란토로 출판하는 것은 실로 엄청난 노력과 뛰어난 번역 기술을 요구하는 땀 흘린 작업입니다.

우리의 소중한 언어와 나 자신을 이 가혹한 시험에 노출시키는 것이 내게는 매우 소중하게 여겨졌기 때문에 나는 번역 작업에 노력을 아끼지 않았고, 실로 적지 않은 기쁨으로 이어진 노력이었습니다.
번역자

ĈAPITRO I XUE ER 제일장 학이

1. La Majstro diris: "Se vi lernas ion kaj konstante metas ĝin en praktikon, ĉu tio ne estas plezuro? Se vi havas amikojn venintajn de malproksime, ĉu tio ne estas ĝojo? Se, ne alte ŝatata de aliaj, vi tamen ne sentas malkontentecon, ĉu tio ne estas kvalito propra al la nobluloj?"

공자께서 말씀하시기를, "배우고 때때로 이를 익히면 또한 기쁘지 아니한가. 벗이 있어 먼 곳으로부터 찾아오면 또한 즐겁지 아니한가. 남이 알아주지 아니해도 화내지 않으면 또한 군자가 아니겠는가." 라고 하셨다.

2 Majstro You diris: "Malmultaj estas tiuj, kiuj, ĉiam respektante siajn gepatrojn kaj pli aĝajn fratojn, inklinas ofendi siajn superulojn. Ekzistas neniu, kiu, ne inklinante ofendi siajn superulojn, emas fari malordon. La noblulo koncentras sian atenton al tio, kio estas fundamenta. Se la fundamento estas firmigita, estiĝas la doktrino. La respekto de filo al siaj gepatroj kaj la respekto de pli juna frato al siaj pli aĝaj jen la fundamento de la homaj virtoj."

유자 말하기를, "사람됨이 효성스럽고 공손한데도 윗사람에게 덤벼들기를 좋아하는 자는 드물다. 윗사람에게 덤벼들기를 좋아하지 않고서도 난동 부리기를 좋아하는 자가 있지 않다. 군자는 근본을 힘쓸 것이니 근본이 서면 도가 생길 것이다. 효도와 우애는 인덕의 근본이다." 라고 하였다.

3. La Majstro diris: "Mielaj vortoj kaj hipokrita mieno

estas ne ligitaj kun vera virto."
공자께서 말씀하시길 "말을 달콤하게 하며 얼굴빛을 좋게 하니 진
짜 덕과 관계가 없다." 고 하셨다.

4. Majstro Zeng diris: "Ĉiun tagon mi ekzamenas min
pri tri punktoj: en plenumo de iu afero por aliulo, ĉu
mi jam faris mian plejeblon? En miaj rilatoj kun miaj
amikoj, ĉu mi kondutis sincere? Ĉu mi jam ellernis kaj
praktikis tion, kion instruis al mi mia instruisto?"
증자께서 말씀하시기를, "나는 날마다 세 가지로 나 자신을 살피
는데 남을 위하여 일에 충실하였는가 친구와 사귀어 믿음직하지 못
했는가 선생님이 가르쳐 주신 것을 제대로 익혔는가" 라고 했다.

5. La Majstro diris: "En regado de regno kun mil
militĉaroj, la reganto devas tre serioze trakti la
politikajn aferojn, bone teni siajn promesojn, malpliigi
la elspezojn, montri amon al siaj regatoj, kaj uzi
popolajn laborfortojn nur en senokupa sezono de la
jaro."
공자께서 말씀하시기를, "천승의 나라를 다스리려면 정치적인 일
을 신중하게 처리하고 믿음을 지키며 쓰기를 절제하고 백성을 사랑
하며 부림에 바쁘지 않은 때를 맞추어야 한다." 고 하셨다.

6. La Majstro diris: "Juna homo devas respekti siajn
gepatrojn hejme kaj siajn pliaĝulojn ekstere. Li devas
montri amon al ĉiuj kaj intimiĝi kun homoj virtaj. Se
restas al li ankoraŭ energio post plenumo de ĉi tiuj
aferoj, li devas studi kulturajn sciojn."
공자께서 말씀하시기를, "젊은이는 집에서는 효도하고 밖에서는

공손하며 널리 대중을 사랑하되 어진이를 친히 할 것이며 행하고
남은 힘이 있으면 글공부를 해야 한다." 라고 하셨다.

7. Zixia diris: "Se homo preferas la virton al la beleco;
se, en servado al siaj gepatroj, li povas fari sian
plejeblon; se, en servado al la princo', li povas dediĉi
sian vivon; se, en la rilatoj kun liaj amikoj, liaj vortoj
estas sinceraj; tiam, kvankam oni diras, ke li ne faris
lernadon, tamen, mi diras, ke li jam ĝin faris."
자하가 말하기를, "어진 사람을 어질게 여기되 미색을 좋아하듯
하며 부모를 섬기되 그 힘을 다하며 임금을 섬기되 그 몸을 다하며
친구와 사귀되 말에 믿음이 있으면 비록 배우지 않았다고 하더라도
나는 이런 사람을 배웠다고 말하리라." 고 하였다.

8. La Majstro diris: "Se la noblulo ne estas serioza, li
ne estas digna kaj ne povas firmigi tion, kion li
ellernis. Tenu fidelecon kaj sincerecon kiel unuajn
principojn. Ne amikiĝu kun tiuj, kiuj estas malpli bonaj
ol vi. Kaj se vi faris erarojn, ne timu ilin korekti."
공자께서 말씀하시기를, "군자가 몸가짐이 무겁지 않으면 위엄이
없을 것이니 배워도 굳게하지 못할 것이다. 충성과 진심을 주로 하
며 자기보다 못한 사람을 벗하지 말며 허물이 있으면 고치기를 꺼
리지 말라." 고 하셨다.

9. Majstro Zeng diris: "Se estas zorge plenumitaj la
funebraj ritoj al la mortintaj gepatroj kaj estas pie
farataj la oferadoj al la prapatroj, tiam la popolo estos
kondukita al virtemo kaj bonmoreco."
증자께서 말씀하시기를, "상례를 정성껏 하고 제사를 정성껏 지내

면 백성들도 효도하고 도덕성을 갖출 것이다." 라고 하셨다.

10. Ziqin faris demandon al Zigong, dirante: "Kiam nia Majstro venas en iun ajn alian regnon, li nepre aŭdas ĉion pri ĝia regado. Ĉu li mem elpetas la informojn aŭ oni propravole liveras ilin al li?" Zigong respondis: "Nia Majstro estas milda, bonkora, humila, modera kaj modesta, kaj tiel li akiras al si informojn. Lia maniero informiĝi ja diferencas de tiu de aliaj, ĉu ne?"
자금이 자공에게 묻기를, "선생님께서 어떤 나라에 이르시면 반드시 그 정사를 들으시니 스스로 구하신 것입니까 아니면 사람들이 알아서 전달하는 것입니까." 자공이 대답하기를, "선생님께서는 온유하고, 착하고, 공손하고, 절제하고 겸손한 것으로 얻으셨으니 그 방법이 세상 사람들과 다른 것인저." 라고 하였다.

11. La Majstro diris: "Dum ankoraŭ vivas la patro, observu la intencojn de la filo. Post la morto de lia patro, observu liajn agojn. Se en la daŭro de tri jaroj li ne deflankiĝas de la vojo irita de sia patro, li povas esti nomata fidela filo."
공자께서 말씀하시기를, "아버지가 살아 계시면 아들의 뜻을 보고 아버지가 돌아가시면 그 행실을 볼 것이로되 삼년 동안 아버지가 추구한 길을 바꾸지 말아야 효자라고 부를 수 있다." 고 하셨다.

12. Majstro You diris: "En la praktikado de la decreguloj plej valoras la modereco. En ĝi kuŝas la laŭdindeco de la regadmanieroj de la antikvaj reĝoj, kaj tial en plenumado de aferoj, bagatelaj kaj gravaj, ni devas sekvi ilian ekzemplon. Tamen la modereco ne

devas esti observata en ĉiuj okazoj. Se iu, sciante ĝian valorecon, observu ĝin sen ĝin reguligi per la decreguloj, tio do ne estas praktikebla."

유자가 말하기를, "예를 행하는 데에는 절제가 귀중하니 선왕의 다스리는 법도가 이처럼 아름다와 작고 큰 모든 일이 여기서 나왔으니 우리는 그 사례를 따라야만 한다. 그러나 절제가 모든 경우에 준수되어야 하는 것은 아니다. 그 가치만 알고 예로써 절제하지 않으면 또한 행할 수 없는 것이다." 라고 하였다.

13. Majstro You diris: Kiam interkonsento atingita konformiĝas al la justeco, la vortoj diritaj estas plenumeblaj. Kiam respekto montrita konformiĝas al la deco, oni estas malproksima de honto kaj malhonoro. Kiam la homoj, sur kiuj iu sin apogas, estas al intimaj, li povas fari ilin siaj gvidantoj."

유자가 말하기를, "믿음이 정의에 가까우면 말을 실천할 수 있으며 공손이 예의에 가까우면 부끄러움과 욕됨을 멀리한다. 의지하는 사람이 가까이 있으면 그를 지도자로 삼을 수 있다." 고 하였다.

14. La Majstro diris: "Tiu, kiu celas esti homo de perfekta virto, ne serĉas plezuron ĉe manĝotablo, nek komforton en sia loĝejo. Li estas rapida en agoj kaj singarda en parolo. Li ofte kunestas kun tiuj, kiuj posedas la Principon, por ke li povu esti korektita tia homo ja povas esti nomata lernemulo."

공자께서 말씀하시기를, "군자는 먹는데 배부르기를 구하지 아니하고 거처하는 데 편안한 것을 구하지 아니하며 행동은 민첩하고 말을 조심하며 도가 있는 곳에 나아가 자기의 잘못을 바르게 하면 배움을 좋아한다고 말할 수 있다." 고 하셨다.

15. Zigong diris: "Kiel vi juĝas pri la malriĉulo, kiu ne flatas, kaj pri la riĉulo, kiu ne arogantas?" La Majstro respondis: "Ili estas bonaj; sed ili ne estas egalaj al tiu, kiu kvankam malriĉa, vivas en ĝojo, nek al tiu, kiu, kvankam riĉa, bone observas la decregulojn."
Zigong diris: "En «Libro de Poezio»" estas dirite, 'kiel oni trancâs oston kaj poste glatigas ĝin per fajlilo, kiel oni skulptas jadon kaj poste poluras ĝin'. Mi pensas, ke tio estas la sama, ĉu ne?" La Majstro diris: "Ci", nun mi jam povas komenci paroli kun vi pri la Poemoj. Mi diras al vi unu punkton, kaj vi povas el ĝi kompreni alian."

자공이 말하기를, "가난하여도 아첨하지 않으며 부유하되 교만하지 아니하면 어떠합니까." 라고 하니

공자께서 말씀하시기를, "좋으나 만약 가난하되 즐기며 부유하되 예의를 잘 지키는 사람만 못하다." 고 하셨다.

자공이 말하기를, "『시경』에 이르되 뼈를 자르고 줄로 다듬듯이 하고 옥을 쪼고 광택을 내듯이 한다고 하였으니 아마도 이것을 말하는 것입니까." 라고 하니

공자께서 말씀하시기를, "너는 비로소 같이 시를 말할 수 있겠구나. 한 가지를 말하면 다른 일도 아는구나." 라고 하셨다.

16. La Majstro diris: "Min afliktas ne tio, ke aliaj min ne komprenas, sed tio, ke mi ilin ne komprenas."

공자께서 말씀하시기를, "남이 자기를 알아주지 않는 것을 걱정하지 말고 내가 남을 알아보지 못함을 걱정할 것이다." 라고 하셨다.

ĈAPITRO II WEI ZHENG 제2장 위정

1. La Majstro diris: "Kiu regas per la forto de sia virto, tiu povas esti komparata kun la Norda Stelo, kiu ĉiam restas en sia loko, dum ĉiuj aliaj steloj iras ĉirkaŭ ĝi."
공자 말씀하시기를, "덕으로써 정치를 하는 것은 비유해서 말하자면, 북극성이 자기의 위치에 자리잡게 되면 모든 별들이 그 둘레를 따르는 것과 같다." 고 하셨다.

2. La Majstro diris: "En «Libro de Poezio» legiĝas tricent poemoj, sed ili ĉiuj povas esti resumitaj per unu frazo Ne havu malvirtan ideon."
공자 말씀하시길 "『시경』 삼백편 내용을 한마디 말로 요약한다면 사악한 생각을 품지 말라." 고 하셨다.

3. La Majstro diris: "Se vi gvidos la popolon per leĝoj kaj gardos la ordon inter ili per punoj, ili detenos sin de malbonoj sen scii la hontosenton. Se vi gvidos ilin per la forto de la virto kaj gardos la ordon inter ili per la decreguloj, ili havos la hontosenton kaj memvole korektos siajn erarojn."
공자 말씀하시길 "정치로써 백성을 인도하고 형벌로써 다스리면 백성이 부끄러움을 모르고 악을 멀리할 것이다.
덕으로써 백성을 인도하고 예의로 따르게 하면 백성들이 부끄러움도 알고 잘못을 스스로 고치게 된다." 고 하셨다.

4. La Majstro diris: "En la dekkvina jaro mi inklinigis mian tutan koron al lernado. En la trideka mi jam firme staris inter homoj. En la kvardeka mi ne plu

havis dubojn. En la kvindeka mi jam konis la volon de Ĉielo. En la sesdeka miaj oreloj fariĝis kapablaj por percepti la veron. En la sepdeka mi povis sekvi la deziron de mia koro sen malobservi ĉiajn regulojn.'

공자 말씀하시길 "나는 열다섯 살에 학문에 뜻을 두고 서른 살에 자립하게 되고 사십에 의혹을 더는 갖지 않게 되고 오십에 천명이 무엇인지를 알게 되고 육십에 진리를 인식하려 잘 듣게 되고 칠십에 내가 하고 싶은 대로 하여도 법도에 어긋나지 않게 되었다." 고 하셨다.

5. Meng Yi demandis pri la fila devo. La Majstro diris: "Ne malobeu la decon!"
Kiam Fan Chi kondukis kaleŝon por la Majstro, tiu diris al Fan: "Mengsun" demandis min pri la fila devo kaj mi respondis al li:. "Ne malobeu la decon!'" Fan Chi demandis: "Kion vi volas diri per tio?" La Majstro klarigis: "Dum vivas la gepatroj, servu ilin laŭ la deco. Post kiam ili mortis, enterigu ilin laŭ la deco kaj faru oferadojn al ili laŭ la deco."

맹의자가 효도에 대해서 공자에게 물으니, 대답하시길 "어김이 없어야 한다." 고 하셨다.

그 다음에 번지가 공자의 수레를 몰고 있는데 공자가 번지에게 일러 말씀하시길, "맹손이 나에게 효도에 대해 묻길래 내가 대답하기를, 어김이 없어야 한다고 하였다." 고 하셨다.

번지가 묻기를 "어김없어야 한다는 것은 무엇을 말합니까." 하니 공자 대답하시길 "생전에 부모님 섬기기를 예법으로써 하며 사후에 장례를 예법으로써 하며 제사 지내기를 예법으로써 해야 한다." 고 하셨다.

6. Meng Wu demandis pri la fila devo. La Majstro respondis: "Kondutu tiamaniere, ke viaj gepatroj maltrankvilas pri nenio koncerne vin, escepte pri via malsano."

맹무백이 효도에 대해 물었는데 공자가 대답으로 "부모가 네 병 외에는 아무 걱정도 하지 않도록 하라." 고 하셨다.

7. Ziyou demandis pri la fila devo. La Majstro respondis: "En la nuna tempo la fila devo signifas nur la vivtenadon al la gepatroj. Sed eĉ hundoj kaj ĉevaloj povas esti same bone prizorgataj. Se oni ne montras respekton al siaj gepatroj, kie do kuŝas la diferenco inter vivteno de la gepatroj kaj bredado de tiuj bestoj?"

자유가 효도에 대해서 물었는데 공자가 말씀하시길 "요새 효도라 하는 것은 부모를 잘 봉양하는 것을 말하는데 개나 말에 대해서도 사람들은 다 양육할 줄을 아는 것이니 공경하지 않으면 부모 봉양 과 짐승 양육에 무슨 차이가 있겠는가." 라고 하셨다.

8. Zixia demandis pri la fila devo. La Majstro respondis: "Estas malfacile por filo ĉiam havi afablan mienon antaŭ la gepatroj. Ĉu la fila devo signifas nur tion, ke oni prenas sur sin penigan laboron, kiam io estas farenda, aŭ proponas vinon kaj manĝaĵojn al siaj gepatroj?"

자하가 효도에 대해서 물었는데 공자 말씀하시길 "아들이 부모 앞 에서 항상 상냥한 얼굴을 하는 것은 어려운 일이다. 효란 일이 있 을 때만 수고하는 것이냐, 술과 음식을 부모에게 드리는 것이냐?" 라고 하셨다.

9. La Majstro diris: "Mi parolis kun Hui tutan tagon, kaj li prezentis nenian kontraŭan opinion al ĉiuj miaj vortoj, kvazaŭ li estus stulta. Li retiriĝis, kaj mi ekzamenis lian konduton sen lia scio kaj trovis, ke li povas ilustri miajn instruojn. Hui ! Li ne estas stulta."

공자 말씀하시길 "내가 안회와 함께 종일토록 말하는데 내 말에 대해서 아무런 이견이 없는 것이 어리석은 것 같았으나 나한테서 물러간 뒤에 그 사람의 생활을 몰래 살펴보니 내가 가르친 대로 이해하고 있으니 안회는 어리석은 사람이 아니로다." 라고 하셨다.

10. La Majstro diris: "Por koni la amikojn, observu la rimedojn, per kiuj li penas atingi siajn celojn, ekzamenu, kio povas lin kontentigi. Kaj tiam, kiel li povus kaŝi sian karakteron! Kiel li povus kaŝi sian karakteron!"

공자 말씀하시길, "친구를 알기 위해 그가 목표를 달성하기 위해 어떤 수단을 사용하는지, 무엇이 그를 만족시킬 수 있는지 살펴라. 그렇다면 어떻게 자신의 성격을 숨길 수 있겠는가. 어떻게 자신의 성격을 숨길 수 있겠는가." 라고 하셨다.

11. La Majstro diris: "Se oni akiras novajn sciojn, relernante tion, kion ili jam lernis, ili do povos esti instruanto de aliaj."

공자 말씀하시길, "옛것을 익히고 새것을 알면 스승이 될 만하다." 고 하셨다.

12. La Majstro diris: "La klera noblulo ne estas vazo.

공자 말씀하시길, "군자는 그릇이 아니다." 고 하셨다.

13. Zigong demandis, kia devas esti la noblulo. La Majstro respondis: "Li agas, antaŭ ol paroli, kaj poste parolas laŭ siaj agoj."

자공이 군자에 대해 물었는데 공자 말씀하시길 "말하기 전에 실행하고 그 뒤에 말이 따라가야 한다." 고 하셨다.

14. La Majstro diris: "La noblulo estas senpartia kaj faras nenian komploton. La malgranda homo estas kaj partia kaj komplotema."

공자 말씀하시길, "군자는 원만하고 편벽되지 아니하고 소인은 편벽되고 원만하지 못하다." 고 하셨다.

15. La Majstro diris: "Kiu lernas sen pripensado, tiu facile trompiĝas. Kiu pripensas sen lernado, tiu daŭre estas en dubo."

공자 말씀하시길 "생각 없이 배우는 사람은 쉽게 속는다. 배우지 않고 생각하는 사람은 여전히 의심스럽다." 고 하셨다.

16. La Majstro diris: "La studado de herezaj doktrinoj estas la kaŭzo de malfeliĉoj."

공자 말씀하시길 "이단에 대해 연구하다가는 결국 해로울 뿐이다." 고 하셨다.

17. La Majstro diris: "You, mi do instruu al vi, kio estas la sciado. Kiam vi scias ion, diru, ke vi tion scias; kiam vi ne scias ion, konfesu, ke vi tion ne scias. Jen la vera sciado."

공자 말씀하시길 "자로야, 너에게 안다는 것이 무엇인가를 가르쳐 주랴. 아는 것을 안다고 하고 모르는 것은 모른다 하는 것이 바로 아는 것이다." 고 하셨다.

18. Zizhang petis opinion pri altrangiĝo kun bona salajro. La Majstro diris: "Aŭskultu multe, sed silentu pri dubaj aferoj kaj estu singarda en parolo pri la cetero: tiam vi malofte falos en eraron. Rigardu multe, sed silentu pri tio, kio estas duba, kaj estu singarda en agado super la cetero: tiam vi malofte havos penton. Kiu malofte eraras en siaj paroloj kaj malofte pentas pri siaj agoj, tiu certe estos rekompencita per alta rango kaj bona salajro."

자장이 좋은 삵이 있는 높은 직위에 관해 배우려고 하니 공자께서 말씀하시기를, "많이 들으되, 의심스러운 일에 대해서는 잠잠하고, 나머지 일에 대해서는 신중히 말하라. 그러면 너희가 거의 실수하지 않을 것이다. 많이 보되 의심스러운 것에 대해서는 침묵하고 다른 것보다 행동하는 데 조심하라. 말에 허물이 적으며 행실에 후회가 적으면 반드시 높은 지위와 좋은 삵을 얻을 것이다." 고 하셨다.

19. La princo Ai demandis: "Kion do mi faru, por ke la popolo volonte submetiĝu al mi?" Konfuceo respondis: "Promociu homojn honestajn kaj postenigu ilin super la malhonestaj, tiam la popolo volonte sin submetos al vi. Promociu homojn malhonestajn kaj postenigu ilin super la honestaj, tiam la popolo ne sin submetos al vi."

애공이 물어 말하기를, "어찌하면 백성이 복종하겠습니까." 공자 말씀하시길 "정직한 사람을 기용하여 정직하지 못한 사람 위에 두시면 백성들이 복종할 것이요, 정직하지 못한 사람을 기용하여 정직한 사람 위에 두시면 백성들이 복종하지 않을 것입니다." 라고 하셨다.

20. Ji Kang demandis: "Kion do mi faru, por ke la popolo povu esti respektema kaj lojala al mi kaj esti instigata sekvi la vojon de virto?" La Majstro diris: "Estu serioza en ilia alesto, tiam ili estos respektemaj. Estu obeema al viaj gepatroj kaj afabla al viaj subuloj, tiam ili estos lojalaj. Promociu la homojn bonajn kaj instruu la malpli kompetentajn, tiam ili estos instigataj sekvi la vojon de virto."

계강자가 묻기를, "백성들로 하여금 나를 존경하고 충성스럽게 여기며 덕의 길을 따르도록 격려하려면 어떻게 해야 합니까?" 하니 공자 말씀하시길, "백성들 대하기를 정중하게 하면 윗사람을 공경하게 되고 부모에게 효도하고 남을 사랑하면 백성들이 충성할 것이요 착한 사람을 기용하고 재능이 부족한 사람을 가르치면 백성들이 덕의 길을 따르도록 노력할 것이니라." 고 하셨다.

21. Iu diris al Konfuceo: "Kial vi ne okupiĝas pri registaraj aferoj ?" La Majstro diris: "Estas dirite en «Libro de Historio» : 'Estu fidela filo kaj plenumu viajn fratecajn devojn, tiam vi per via ekzemplo influos la registaron.' Ankaŭ tio ĉi povas esti rigardata kiel 'okupiĝi pri registaraj aferoj'. Kial do oni nepre devas teni ian oficon en la registaro?"

어떤 사람이 공자에게 말하기를 "선생께서는 왜 정치를 하지 않습니까" 하니 공자 말씀하시길 " 『서경』에 이르길 부모에게 효도하며 형제간에 우애하면 그 사례로 정부에 영향을 미칠 것이다.' 이 역시 '공무'로 볼 수 있다. 그렇다면 왜 반드시 정부에서 어떤 직책을 맡아야 하겠는가." 라고 하셨다.

22. La Majstro diris: "Mi ne scias, kiel la homo sen fideleco povas esti taŭga por io. Kiel do la bovĉaro aŭ ĉevalĉaro povas esti veturigata sen la transversa lignopeco por jungo de la tirbestoj?"

공자 말씀하시길 "사람으로서 신의가 없다면 그가 옳은가를 알지 못한다. 큰 수레나 작은 수레에 멍에가 없으면 어떻게 수레를 끌고 갈 수 있겠는가." 라고 하셨다.

23. Zizhang demandis, ĉu la ritaro post dek generacioj povas esti antaŭsciata? La Majstro respondis: "Ni scias, en kiaj manieroj Yin-dinastio modifis la ritaron, kiam ĝi heredis ĝin de Xia-dinastio". Ni scias, en kiaj manieroj Zhou-dinastio" modifis la ritaron, kiam ĝi heredis ĝin de Yin-dinastio. Kaj tial ni povas antaŭscii, kia estos la ritaro de la postvenontoj post Zhou-dinastio, eĉ se ĝi aperos post cent generacioj."

자장이 묻기를 "십세대 이후 의식을 알 수 있습니까." 공자 말씀하시길, "상나라는 하나라 예법을 대체로 답습하였으니 더하고 덜한 것을 알 수 있으며 주나라는 대체로 상나라 예법을 답습하였으니 더하고 덜한 것을 알만한 것이니 그 혹시 주를 계승하는 자가 있다면 백세라도 알만하다." 고 하셨다.

24. La Majstro diris: "Estas flato fari oferadon al la spirito de mortinto, kiu ne apartenas al via familio. Estas malkuraĝo rifuzi fari tion, kio estas justa."

공자 말씀하시길, "자기와 관계없는 귀신에 대해 제사지내는 것이 아첨하는 것이요 의를 보고도 하지 못하는 것은 용기가 없는 것이다." 고 하셨다.

ĈAPITRO III BA YI   제3장 팔일

1. Parolante pri la ĉefo de Ji-familio, Konfuceo diris: "Li ordonis al ok vicoj da personoj muziki kaj danci en lia korto. Se tion ĉi li aŭdacis fari, kion alian li ne aŭdacas?"

공자가 계손씨에게 말씀하시기를, "팔일무를 뜰에서 추시니 이것을 차마 한다면 무엇인들 차마 하지 못할 것인가." 라고 하셨다.

2. La tri familioj uzis la odon Yong tiam, kiam la oferaĵoj estis forprenataj ĉe la fino de la oferceremonio. La Majstro diris: "La princoj helpas ĉe la oferado; la filo de Ĉiel solenaspektas. En kia senco do la du versoj estis kantataj en la haloj de la tri familioj?"

세 대부의 집에서 천자의 제례인 〈옹〉으로서 마치니 공자 말씀하시기를, "왕자들이 제사를 돕는 것과 천자의 엄숙한 모습, 이 두 구절을 어찌 세 대부의 사당에서 부를 수 있겠는가." 라고 하셨다.

3. La Majstro diris: "Kiel la homo senvirta povus agi laŭ la decreguloj? Kiel la homo senvirta povus ami la muzikon?"

공자 말씀하시기를, "사람으로 어질지 아니하면 예는 해서 무엇하며 사람으로서 어질지 아니하면 음악을 좋아한들 무엇 하리오." 라고 하셨다.

4. Lin Fang demandis pri la esenco de la ceremonioj. La Majstro diris: "Granda estas via demando! En festaj ceremonioj ŝparo estas preferinda al malŝparo. En

funebraj ceremonioj profunda malĝojo estas preferinda al atento al ĉiuj detaloj de la eksteraj formoj."

임방이 예의 근본을 물었다. 공자 말씀하시기를, "크구나 질문이 여. 예는 그 사치함보다는 차라리 검소할 것이요. 상례는 외적 형태 의 모든 세부 사항에 주의를 기울이는 것보다는 차라리 슬퍼하는 것이니라." 고 하셨다.

5. La Majstro diris: "Kvankam la sovaĝaj triboj de la oriento kaj nordo havas siajn estrojn, tamen ili estas malpli bonaj ol la regnoj de nia granda lando, eĉ se tiuj ne havus siajn suverenojn." "

공자 말씀하시기를, "오랑캐에 왕이 있음은 중국에 왕이 없는 것 보다 낫지 않을 것이다." 고 하셨다.

6. La ĉefo de Ji-familio volis iri por fari oferadon al la monto Tai. La Majstro diris al Ran You: "Ĉu vi ne povas deadmoni lin de tia ago?" Li respondis: "Mi ne povas. La Majstro diris: "Ho ve! Ĉu oni povas eĉ diri, ke la dio de la monto Tai ne estas tiel ceremoni-scia, kiel Lin Fang?"

계손씨가 태산에 〈여제〉를 지내니 공자께서 염유에게 말하기를, "너가 그런 행동을 하지 않도록 설득하지 못하겠는가" 하니 대답 하여 말하기를, "못하겠습니다." 하니 공자 말씀하시기를, "아아 태산의 신이 〈임방〉만 못하겠는가." 라고 하셨다.

7. la Majstro diris: "La nobluloj ne konkuras. Se ili ne povas eviti konkuron, ĝi okazas nur en la arkpafado. Sed eĉ tiaokaze ili salutas sin reciproke, antaŭ ol iri al la pafejo, kaj trinkas vinon post la pafado. Do eĉ dum

sia konkurado ili restas nobluloj."

공자 말씀하시기를, "군자는 다투는 것이 없으나 피할 수 없다면 활쏘기에서만 다툰다. 읍하고 겸양하여 오르고 내려와서 마신다. 그러한 다툼이 군자의 다툼이니라." 고 하셨다.

8. Zixia demandis: "Kion signifas la versoj: 'Kiel bela la vizaĝ' kun ridkavetoj! Kiel ĉarmaj la okuloj blankaj-nigraj!' 'La pure blanka fon' por la koloroj buntaj?" La Majstro diris: "La pentrado sekvas la preparon de la blanka fono."

Zixia demandis: "Ĉu do ceremonioj estas afero, kiu sekvas la virton kaj justecon?" La Majstro diris: "Estas Shang, kiu kapablas elvolvi mian ideon. Nun mi povas ekparoli kun vi pri la Poemoje."

자하가 묻기를, "보조개 있는 아름다운 얼굴이여, 희고 검은 아름다운 눈동자여, 흰 바탕에 고운 채색이라 하니 무엇을 이르는 것입니까." 공자 말씀하시기를, "그림을 그리는 일은 흰 비단을 마련한 것이니라." 말하기를 "그렇다면 예식은 덕과 정의를 따르는 것입니까?" 공자 말씀하시기를, "내 생각을 발현시키는 자는 〈상〉이로다. 비로소 더불어 시를 말할 만하도다." 라고 하셨다.

9. La Majstro diris: "La ceremoniojn de Xia-dinastio mi povas priskribi, sed Qi-regno, kie regas la posteuloj de Xia, ne povas liveri sufiĉan ateston al miaj vortoj. La ceremoniojn de Yin-dinastio mi povas priskribi, sed Song-regno, kie regas la posteuloj de Yin, ne povas liveri sufiĉan ateston al miaj vortoj. Ili ne povas tion fari, ĉar en la du regnoj mankas sufiĉaj dokumentoj kaj historio-konantaj saĝuloj. Se tiaj estus sufiĉaj, mi

povus citi ilin kiel apogon por miaj vortoj."

공자 말씀하시기를, "하나라의 예를 내가 능히 말할 수 있으나 하나라의 후손이 다스리는 기나라의 일을 충분히 증명할 수 없으니라. 상나라의 예를 내가 능히 말할 수 있으나 상나라의 후손이 다스리는 송나라의 일은 충분히 증명할 수 없다. 두 나라의 문헌이 부족한 까닭이니라. 만약 충분하다면 내 말을 뒷받침하는 근거로 인용할 수 있다." 고 하셨다.

10. La Majstro diris: "Ĉe la Granda Oferado, post la unua oferverŝo de vino, mi jam ne volas plu spekti."

공자 말씀하시기를, "대제에서 첫 번째 희생 포도주를 부은 후, 나는 더 이상 보고 싶지 않다." 고 하셨다.

11. Iu demandis pri la signifo de la Granda Oferado. La Majstro respondis: "Mi ne scias. Kiu scius ĝian signifon, tiu povus trovi la regadon de la imperio tiel facila, kiel meto de io ĉi tien." Tion dirante, li fingromontris sian manplaton.

어떤 사람이 〈대제〉의 뜻을 물으니 공자 말씀하시기를, "알지 못하노라. 그 뜻을 아는 자는 천하의 일을 함에도 이처럼 잘 할 수 있을 것이라." 고 그 손바닥을 가리키시었다.

12. La Majstro faris oferadon al siaj prapatroj, kvazaŭ ili alestus. Li faris oferadon al dioj, kvazaŭ ili alestus. La Majstro diris: "Se mi ne povas persone ĉeesti la oferadon, tio estas kvazaŭ okazus nenia oferado."

공자가 제사를 지내심에 조상이 계신 듯이 하시고 신을 제사지내시되 신이 있는 듯이 하시었다. 공자 말씀하시기를, "내가 함께 제사에 참여치 않으면 제사를 지내지 않음과 같으니라." 고 하셨다.

13. Wangsun Jia demandis pri la signifo de la popoldiro "Prefere flatu la dion de la kuirforno, ol la dion de la sudokcidenta angulo de la domo?" La Majstro diris: "Ĝi ne estas ĝusta. Al tiu, kiu ofendas ĉielon, preĝoj neniel helpas."

왕손가가 묻기를, "안방의 신보다 부엌의 신에게 더 아첨하라. 하니 무엇을 이르는 것입니까." 공자 말씀하시기를, "그렇지 않다. 하늘에 죄를 지으면 빌 곳이 없느니라." 고 하셨다.

14. La Majstro diris: "La ritaro de Zhou-dinastio estis starigita surbaze de tiu de la du antaŭaj dinastioj. Kiel kompleta kaj eleganta ĝi estas! Mi sekvas la ritaron de Zhou."

공자 말씀하시기를, "주나라의 의례는 하나라 상나라 이대를 본받았으니 빛나고 성대하구나, 나는 주나라를 따르리라." 고 하셨다.

15. Enirinte Grandan Templon, la Majstro demandis pri ĉiu afero tiea. Iu diris: "Kiel oni povas diri, ke la filo de la Zou-ano konas la decregulojn! Li eniris en Grandan Templon kaj demandis pri ĉiu afero tiea." Aŭdinte tion, la Majstro diris : "Ĝuste tio estas decregulo."

공자께서 태묘에 들어가시어 매사를 물으시니 어떤 사람이 말하기를, "누가 〈추〉지방 사람의 아들이 예를 안다고 하였느냐. 태묘에 들어가서 매사를 묻는구나." 하니 공자께서 들으시고 말씀하시기를, "이것이 예이니라." 고 하시다.

16. La Majstro diris: "En arkpafado ĉe rita ceremonio

ne estas necese trapafi la ledan celtabulon, ĉar ne ĉiu havas egalan forton. Tio ĉi estas regulo el la antikveco."

공자 말씀하시기를, "의식에서 활을 쏘는데 가죽 과녁을 주로하지 않음은 힘이 동등하지 않은 것을 말함이니 이것이 예전의 규칙이 다." 라고 하니라.

17. Zigong 'intencis ne uzi kapron kiel viktimon ĉe la oferado al la prapatroj okazigata en la unua tago de ĉiu monato. La Majstro diris: "Ci, vi amas la kapron; mi amas la ceremonion."

자공이 초하루마다 제사 드리는 제물로 양을 쓰지 않고자 하니 공자 말씀하시기를, "너는 그 양을 아끼느냐. 나는 그 예를 사랑하느 니라." 고 하시다.

18. La Majstro diris: "La plena observado de la decreguloj en servado al la suvereno estas kalkulata de aliaj homoj kiel flato."

공자 말씀하시기를, "임금을 섬김에 예를 다하니 사람들이 이것을 아첨한다고 생각한다." 고 하셨다.

19. La princo Ding demandis: "Kiel la suvereno devas uzi siajn korteganojn kaj kiel tiuj devas servi sian suverenon?" Konfuceo respondis: "La suvereno devas uzi siajn korteganojn laŭ la decreguloj dum la korteganoj devas servi sian suverenon kun fideleco."

정공이 묻기를, "임금이 신하를 부리고 신하가 임금을 섬기는 것 이것을 어떻게 생각하십니까." 하니 공자 말씀하시기를, "임금이 신하를 부리기를 예로써 하며 신하가 임금 섬기기를 충성으로써 해야 합니다." 라고 하셨다.

20. La Majstro diris: "La poemo Guan Ju" esprimas ĝojon sen malĉasteco kaj malĝojon sen korŝiro."
공자 말씀하시기를, "『시경』〈관저〉편은 기뻐하되 음란하지 않고 슬퍼하되 감상에 빠지지 아니하였다." 고 하시다.

21. La princo Ai demandis Zai Wo pri la altaroj de la terdio. Zai Wo respondis: "Ili estis faritaj el pina ligno en Xiadinastio, el la cipresa en Yin-dinastio kaj el la kaŝtanarba en Zhou-dinastio. La kaŝtanarba ligno laŭkrede havis la efikon timtremigi la popolon." Aŭdinte pri tio, la Majstro diris al Zai Wo: "Pri tio, kio estas farita, ne estas necese paroli; de tio, kio estas jam en sia irado, ne estas necese deadmoni; al tio, kio estas pasinta, ne estas necese fari riproĉon."
애공이 〈재아〉에게 〈사〉를 물으시니 〈재아〉가 대답하기를, "하(夏)나라에는 소나무, 은(陰)나라에는 편백나무, 주(周)나라에는 밤나무로 만들었다. 밤나무는 사람들을 겁주는 효과가 있었다고 말합니다." 공자 이를 들으시고 말씀하시기를, "이루어진 말이라 말하지 못하고 어쩔 수 없는 일이라 따지지 못하며 이미 지나간 일이라 꾸중하지 못하겠다." 고 하시니라.

22. La Majstro diris: Malgrandanima ja estis Guan Zhong!" lu demandis: "Ĉu Guan Zhong estis ŝparema?" "Guan," respondis la Majstro, "havis sian privatan tenejon, en kiu amasiĝis mono, kaj el liaj subuloj neniu plenumis duoblan oficon. Kiel do li povas esti kalkulata kiel ŝparema?"

"Do, ĉu Guan Zhong konis la decregulojn?" La Majstro respondis: "La princoj de regnoj havas ĉiu ekranmuron kontraŭ sia pordego; ankaŭ Guan havis tian muron. La princoj de regnoj havas ĉiu en sia halo meblon uzatan por surmeti pokalojn dum akcepto de aliregna princo; ankaŭ Guan havis tian meblon. Se Guan konis la decregulojn, kiu do ilin ne konas?"

공자 말씀하시기를, "관중의 그릇이 작구나." 어떤 사람이 말하기를, "관중은 검소합니까. 관씨는 돈을 모으는 사적 창고를 가지고 있었고 부하 중 누구도 이중직을 맡지 않았으니 어찌 검소하다고 하겠느냐." "그러면 관중은 예를 압니까." 하니 말씀하시기를, "나라의 임금이라야 각각 성문을 막는 벽을 가지고 있거늘 관씨 또한 그런 문을 가졌으며 나라의 임금이라야 다른 나라의 왕자를 맞이할 때 쓰는 잔을 두는 가구를 홀에 가지고 있거늘 관씨가 또한 그것을 두었으니 관씨가 예를 안다면 누가 예를 알지 못 하겠는가." 하니라.

23. Parolante pri muziko kun la Granda Muzik-majstro de Lu-regno, la Majstro diris: "Estas konebla la muzikludado. La muzikpeco komenciĝas per forta unisono. Baldaŭ la tono fariĝas pure harmonia, klara, kontinue flua kaj tiel venas al la fino."

공자께서 노나라 태사에게 음악을 말씀하시기를, "음악은 알아야 할 것이니 강한 조화로 시작되고 곧 음색은 순전히 조화롭고 명확하며 지속적으로 흐르며 그렇게 끝이 난다." 고 하셨다.

24. La landlima gardisto en Yi petis la permeson viziti la Majstron, dirante: "Kiam homoj de alta virto venis ĉi tien, mi neniam estis senigita je la privilegio ilin vidi."

La disciploj, kiuj tiam sekvis Konfuceon, alkondukis lin al sia Majstro. Elirinte post la vizito, la homo diris al la discîploj: "Miaj amikoj, kial vi malĝojas pri tio, ke via Majstro perdis sian oficon? La reĝlando jam estas longe sen la principoj de vero kaj justeco. Ĉielo certe faros vian Majstron kvazaŭ sonorilo kun ligna lango.

〈의〉 땅을 지키는 사람이 뵙기를 청하여 말하기를, "군자가 이곳에 이름에 내가 일찍이 뵙지 못한 일이 없느니라." 따르는 제자가 뵙게 하였더니 나와서 말하기를, "당신들은 선생님이 직책을 상실한 것에 왜 슬퍼하는가? 나라에는 오랫동안 진리와 정의의 원칙이 없었도다. 하늘이 장차 선생님을 목탁으로 삼으실 것이다." 고 했다.

25. Parolante pri la muzikpeco Shao, la Majstro diris: "Ĝi estas perfekte bela kaj ankaŭ perfekte bona." Sed pri la muzikpeco Wu li diris: "Ĝi estas perfekte bela, sed ne perfekte bona."

공자께서 〈소악〉을 이르시기를, "지극히 아름답도다. 또 더할 것 없이 좋구나." 하시고 〈무악〉을 이르시기를, "지극히 아름답도다. 더할 것 없이 아름답지는 않도다." 라고 하셨다.

26. La Majstro diris: "Altaj postenoj okupataj sen grandanimeco; ceremonioj plenumataj sen respekto; funebraĵoj kondukataj sen malĝojo — jen estas la aferoj, kiujn mi ne toleras!"

공자 말씀하시기를, "윗자리에 있으면서 너그럽지 아니하며 예를 행하되 공경하지 아니하며 상례를 치르면서 슬퍼하지 아니하면 내가 무엇으로써 그를 보리오" 라고 하셨다.

ĈAPITRO IV LI REN   제4장 이인

1. La Majstro diris: "Loĝi inter virtuloj estas bela afero. Se homo elektas por si loĝejon tie, kie ne estas virtuloj, kiel li povus esti rigardata kiel saĝulo?"
공자께서 말씀하시기를, "의인 가운데 거하는 것이 아름다우니, 어진 곳을 골라서 살지 않으면 어찌 지혜로우리오?" 라고 하셨다.

2. La Majstro diris: "Tiuj, kiuj ne havas virton, ne povas longe resti en mizero, nek en komforto. La virtuloj kontentiĝas per la virto kaj la saĝuloj agas laŭ la virto."
공자께서 말씀하시기를, "덕이 없는 자는 곤궁함이나 편안함에 오래 머물지 못한다. 의인은 덕으로 만족하고 현자는 덕을 따라 행한다." 고 하셨다.

3. La Majstro diris: "Nur la virtuloj povas scii, kiajn homojn oni devas ami kaj kiajn malami."
공자께서 말씀하시기를, "오직 의인이라야 사람을 좋아할 수 있고 미워할 수도 있다." 고 하셨다.

4. La Majstro diris: "Se iu prenos la decidon sekvi la virton, tio alportos al li nenian malbonon."
공자께서 말씀하시기를, "진실로 인에 뜻을 두면 나쁜 짓을 하지 않으리라." 고 하셨다

5. La Majstro diris: "Riĉeco kaj alta rango estas tio, kion ĉiu deziras; sed se ili ne estas akiritaj per decaj rimedoj, oni preferas ilin rezigni. Malriĉeco kaj

malnobleco estas tio, kion ĉiu abomenas; sed se ili ne estas forigitaj per decaj rimedoj, oni ilin ne evitas. Se la nobluloj forlasas la virton, kiel ili povas akiri sian bonan renomon? La nobluloj ne deflankiĝas, eĉ unu momenton, de la vojo de virto. Ili estas ĉiam kun la virto, eĉ kiam ili estas en hasto aŭ en malespera vagado."

공자께서 말씀하시기를, "부와 귀는 곧 사람이 바라는 바이나 바른 도리로써 얻지 아니하면 그것을 누려서는 안 된다. 빈과 천은 곧 사람들이 싫어하는 것이나 그 도리 때문에 어쩔 수 없이 부과되었다면 피하지 마라. 군자가 어진 것을 버리면 어찌 군자라는 이름을 이루겠는가? 군자는 한 순간도 어짐을 어기지 않나니 급한 때에도 절망적인 방황 속에도 반드시 덕과 함께 한다." 고 하셨다.

6. La Majstro diris: "Mi neniam vidis homon, kiu amas la virton, nek homon, kiu malamas malvirton. Tiu, kiu amas la virton, rigardas ĝin kiel ion plej altan. Tiu, kiu malamas malvirton, praktikas la virton tiamaniere, ke li ne permesas al io ajn malvirta tuŝi lin mem. Ĉu ekzistas iu, kiu povas iam dediĉi sian forton al la virto? Mi ankoraŭ neniam vidis homon, kiu havas nesufiĉan forton. Eble tia homo ekzistas, sed mi lin ne vidis."

공자께서 말씀하시기를, "나는 어진 것을 좋아하는 자와 어질지 아니한 것을 미워하는 자를 보지 못하였노라. 어진 것을 좋아하는 자는 그것을 최고의 것으로 여기고 어질지 않는 것을 미워하는 자는 그 악한 것이 자기에게 닿지 않도록 덕을 행한다. 능히 그 힘을 어진 것에 쓸 이가 있는가? 나는 힘이 부족한 자를 보지 못했다. 아마도 있겠지만 내가 아직 보지 못한 것이리라." 고 하셨다.

7. La Majstro diris: " La eraroj de homoj estas karakterizaj. Observante erarojn de iu, oni povas ekscii, kia homo li estas."

공자께서 말씀하시기를, "사람의 허물은 특징이 있으니, 허물을 보면 어떤 사람인지를 알 수있다." 고 하셨다.

8. La Majstro diris: Se mi aŭdus pri la vero en la mateno, mi volonte mortus en la vespero."

공자께서 말씀하시기를, "아침에 도를 들으면 저녁에 죽어도 좋다." 라고 하셨다.

9. La Majstro diris: "Ne valoras fari diskuton kun klerulo, kiu, sin dediĉante al la vero, hontas porti eluzitajn vestojn kaj manĝi krudajn manĝaĵojn."

공자께서 말씀하시기를, "도에 뜻을 두고 허술한 옷과 나쁜 음식을 부끄러워하는 선비는 족히 함께 의론하지 못한다." 고 하셨다.

10. La Majstro diris: "La sintenado de la noblulo kontraŭ la mondo estas tia, ke li montras nenian preferon, nek malpreferon. Li sekvas nur tion, kio estas justa."

공자께서 말씀하시기를, "군자가 천하에 살며 좋아하는 것도 싫어하는 것도 없으니 옳음이라는 기준에 따를 뿐이다." 고 하셨다.

11. La Majstro diris: "La noblulo pensas pri la virto; la malgranda homo pensas pri kampoj. La noblulo pensas pri leĝoj; la malgranda homo pensas pri riceveblaj favoroj."

공자께서 말씀하시기를, "군자는 덕을 마음에 품고 소인은 땅을 마음에 품는다. 군자는 법을 마음에 품고 소인은 받을 호의만 마음에 품는다." 고 하셨다.

12. La Majstro diris: "Tiu, kies agoj celas proprajn profitojn, kaŭzos kontraŭ si multajn plendojn."
공자께서 말씀하시기를, "이익만을 좇아서 행하면 원망이 많아진다." 고 하셨다.

13. La Majstro diris: "Ĉu la princo povas regi sian regnon per la komplezeco propra al la decreguloj? Kian malfacilon tio prezentas? Se li ne povas tion fari, kiel do li povas sekvi la decregulojn?"
공자께서 말씀하시기를, "능히 예에 적합한 은혜로써 나라를 다스리면 무엇이 어려울 것이 있으며, 능히 하지 못하면 어떻게 예를 따를 수 있으리오." 라고 하셨다.

14. La Majstro diris: "Mi ne estas maltrankvila pri tio, ke mi ne okupas ian postenon; mi zorgas nur pri tio, kiel mi povas fari min taŭga por posteno. Mi ne estas maltrankvila pri tio, ke oni ne ŝatas min; mi penas nur esti inda, ke oni min ŝatu."
공자께서 말씀하시기를, "지위가 없는 것을 근심하지 말고 설 곳을 근심하라. 자기를 좋아하지 않는다고 근심하지 말고 좋아할 만한 사람이 되기를 구해야한다." 고 하셨다.

15. La Majstro diris: "Shen! Mia doktrino havas unu fadenon, kiu kuras tra ĝi." La disĉiplo Zeng respondis: "Vi pravas. La Majstro eliris, kaj la aliaj disĉiploj

demandis: "Kion li volas diri per tio?" Zeng diris: "La doktrino de nia Majstro estas nur fideleco kaj indulgemo."

공자께서 말씀하시기를, "증삼아, 나의 도는 한결같다." 고 하셨다. 증자가 말하기를, "옳습니다." 라고 하였다. 공자께서 나가시거늘, 문인이 묻기를, "무엇을 이르신 것인가." 라고 하니 증자가 이르기를 "선생님의 도는 충실과 배려일 뿐이다." 라고 하였다.

16. La Majstro diris: "La nobluloj scias, kio estas justa; la malgrandaj homoj scias, kio estas profitodona." 2

공자께서 말씀하시기를, "군자는 의에 밝고, 소인은 이익에 밝다." 고 하셨다.

17. La Majstro diris: "Kiam vi vidas homon bonan, pensu pri egaliĝo al li; kiam vi vidas homon nebonan, faru al vi memekzamenon."

공자께서 말씀하시기를, "어진 이를 보면 그와 같이 되기를 생각하고, 어질지 아니한 이를 보면 안으로 스스로 깊이 반성해야 한다." 고 하셨다.

18. La Majstro diris: "En servado al siaj gepatroj filo devas milde deadmoni ilin de nebona ago. Kiam li vidas, ke ili ne inklinas sekvi lian konsilon, li ne devas malpliigi sian respekton, nek ofendi ilin. Li povas malĝoji en si, sed ne devas havi malpardonemon kontraŭ ili."

공자께서 말씀하시기를, "부모를 섬기되 은근히 간할 것이니 내 뜻을 알고도 따르지 아니하시면 또 더욱 공경하여 어기지 아니하여, 슬플지라도 원망하지 않아야 한다." 고 하셨다.

19. La Majstro diris: "Dum la gepatroj vivas, la filo ne devas vojaĝi malproksimen. Se al li nepre necesas vojaĝi, la vojaĝo devas havi fiksan celitan lokon."
공자께서 말씀하시기를, "부모가 살아 계시거늘 멀리 여행 아니하며 여행해도 반드시 행선지를 알려야 한다." 고 하셨다.

20. La Majstro diris: "Se en la daŭro de tri jaroj la filo ne deflankiĝas de la vojo irita de sia patro, li povas esti nomata fidela filo."
공자께서 말씀하시기를, "아버님 돌아가신지 삼년 동안을 아버님이 추구했던 길을 고침이 없어야 효자로 이를 것이다." 고 하셨다.

21. La Majstro diris: "La aĝoj de la gepatroj ne povas ne esti tenataj en la memoro de la filo. Unuflanke, ili estas fonto de ĝojo; aliflanke ili estas fonto de timo."
공자께서 말씀하시기를, "부모님의 나이는 반드시 알고 있어야 한다. 한편으론 기쁘고 다른 편으론 두렵다." 고 하셨다.

22. La Majstro diris: "La kaŭzo, kial la antikvuloj hezitis eldiri siajn vortojn, estis ke ili timis, ke ili povos suferi honton, se iliaj agoj ne sukcesos sekvi iliajn vortojn."
공자께서 말씀하시기를, "옛 사람이 말을 함부로 내뱉지 않는 것은 몸소 그 말을 실천하지 못할까 부끄러워함이다." 고 하셨다.

23. La Majstro diris: "Kiu tenas sin interne de la limoj de la decreguloj, tiu malofte eraras.
공자께서 말씀하시기를, "검약하면서 실수하는 자는 매우 적다."

고 하셨다.

24. La Majstro diris: "La nobluloj devas esti malrapidaj en parolo kaj rapidaj en agoj."
공자께서 말씀하시기를, "군자는 말을 더듬으나 실행하는 데에는 민첩하고자 한다." 고 하셨다.

25. La Majstro diris: "La virtuloj neniam vivas en izoliteco. Ili certe ĉiam havas najbarojn.'
공자께서 말씀하시기를, "덕이 있는 사람은 외롭지 않노니 반드시 이웃이 있느니라." 고 하셨다.

26. Ziyou diris: "En servado al la suvereno tro oftaj admonoj kondukas al malhonoro. Inter amikoj tro oftaj admonoj malintimigas la amikecon ."
자유가 말하기를, 임금을 섬김에 간언하기를 자주하면 곤욕을 당하고 친구에게 충고를 자주하면 사이가 멀어진다." 고 하였다.

ĈAPITRO V GONGYE CHANG 제5장 공야장

1. Parolante pri Gongye Chang, la Majstro diris: "Li povus esti edzigita. Kvankam li iam estis en malliberejo, tamen tio ne estis lia kulpo." Li do edzinigis sian filinon al Gongye.

공자가 공야장에게 말씀하시기를, "사위로 삼을 만하다. 비록 옥중에 있었으나 그 죄가 아니다." 하시고 자기의 딸을 그의 아내로 삼게 했다.

2. Parolante pri Nan Rong, la Majstro diris: "Kiam la lando estis en bona ordo li ne estis deoficigita kaj kiam la lando estis malbone regata, li evitis punon kaj malhonoron." Li do edzinigis al li la filinon de sia pli aĝa frato.

공자가 남용에 관해 말씀하시기를, "나라에 도가 있음에는 그를 버리지 않을 것이고 나라에 도가 없음에는 조심하여 형벌을 면했다." 하시고 그 형의 딸을 그의 아내로 삼게 하셨다.

3. Parolante pri Zijian, la Majstro diris: "Tiu ĉi homo ja estas virta! Se en Lu-regno ne ekzistus virtuloj, de kie li povus akiri tiajn bonajn kvalitojn?"

공자께서 자천에 대하여 말씀하시기를, "군자로구나, 노나라에 군자가 없다면 어디서 훌륭한 덕행을 배웠겠는가." 라고 하셨다.

4. Zigong demandis: "Kion vi diras pri mi?" La Majstro diris: "Vi estas vazo." "Kia vazo do?" "Jada vazo uzata dum oferados.

자공이 묻기를, "저는 어떠합니까." 하니 공자 말씀하시기를, "너는 훌륭한 그릇이다." 고 하셨다. 자공이 말하기를, "어떤 그릇입니까." 하니 공자 말씀하시기를, "제사 때 사용하는 옥 그릇이다." 고 하셨다.

5. Iu diris: "Yong estas perfekte virta, sed li ne estas dotita per elokventeco." La Majstro diris: "Kial do necesus la elokventeco? Akralanga parolo ofte elvokas abomenon ĉe aŭskultantoj. Mi ne scias, ĉu li estas perfekte virta, sed kial do necesus al li la elokventeco?"
어떤 사람이 말하기를, "옹은 유덕하지만 말재주가 없습니다." 하니 공자 말씀하시기를, "어찌 말재주가 필요한가. 사람을 대하는데 말재주로써 하면 자주 사람에게 미움을 받을 받으니 그의 어진 마음은 알지 못하고 어찌 말재주를 쓰겠는가." 라고 하셨다.

6. La Majstro diris al Qidiao Kai", ke li fariĝu ŝtatoficisto. Tiu respondis: "Mi ankoraŭ ne estas memfida pri tio ĉi ." Aŭdinte tion, la Majstro ekĝojis.
공자께서 칠조개로 하여금 벼슬을 하게 하시니 그가 대답하여 말하기를, "제가 아직 벼슬을 나갈 자신이 없습니다." 고 했다. 듣고 공자께서 기뻐하셨다.

7. La Majstro diris; "Se oni ne sekvos mian doktrinon, mi vojaĝos per floso trans la maron, kaj tiam eble nur You volos min akompani." Aŭdinte tion, Zilu gojiĝis. La Majstro diris: "You, via braveco estas pli granda ol la mia, sed vi ne bone uzas vian juĝkapablon."
공자 말씀하시기를, "도가 행해지지 않는지라. 뗏목을 타고 바다로 떠갈까 하니 나를 따르는 자는 아마도 자로일 것이다." 고 하셨다.

자로가 듣고 기뻐하거늘, 공자 말씀하시기를, "자로는 용기가 나보다 크지만 판단력을 잘 사용하지 않는다." 고 하셨다.

8. Meng Wu demandis, ĉu Zilu estas perfekte virta. La Majstro diris: "Mi ne scias." Li refoje demandis, kaj tiam la Majstro respondis: "En regno kun mil militĉaroj oni povus fari lin ministro pri militaj aŭ aliaj regnaj aferoj, sed mi ne scias, ĉu li estas perfekte virta."

"Kaj kiel vi opinias pri Ran Qiu?" La Majstro respondis: "En urbo el mil familioj oni povus fari lin la reganto, aŭ en la domo de feŭdulo posedanta cent militĉarojn oni povus fari lin la intendanto, sed mi ne scias, ĉu li estas perfekte virta."

"Kiel do vi opinias pri Chi?" La Majstro respondis: "Starante en ceremonia vesto en princa palaco, li povus esti komisiita akcepti alilandajn gastojn, sed mi ne scias, ĉu li estas perfekte virta."

맹무백이 자로에 대하여 묻기를, "자로는 어집니까." 하니 공자 말씀하시기를, "나는 알지 못하겠다." 고 하셨다. 또 물으니, 공자 말씀하시기를, "천승의 나라에서 그 군사를 다스리게 할 수 있으나 그가 어짐은 알지 못하겠다." 고 하셨다. 맹무백이 묻기를, "염구는 어떠하십니까." 고 하니, 공자 말씀하시기를, "염구는 천승의 고을과 백승의 집안에서 재가 될 수는 있으나 그가 어짐은 알지 못하겠다." 고 하셨다. 맹무백이 묻기를, "공서적은 어떻습니까." 라고 하니, 공자 말씀하시기를, "띠를 두르고 조정에 서서 빈객과 더불어 말하게 할 수 있으나 그가 어짐은 알지 못하겠다." 고 하셨다.

9. La Majstro diris al Zigong: "Kiu laŭ vi estas pli kapabla, vi aŭ Hui?" Zigong respondis: "Kiel mi

kuraĝas kompari min kun Hui? Instruite pri unu afero, li kapablas dedukti dek aliajn, dum mi kapablas nur du." La Majstro diris: "Vi ne egalas lin. Mi konsentas kun vi, vi ne egalas lin."

공자께서 자공에게 말씀하시기를, "너와 안회 중에 누가 나으냐." 고 하니 자공이 이르기기를, "제가 어찌 감히 안회를 바라보겠습니까? 안회는 하나를 들으면 열을 알고 저는 둘을 압니다." 고 하니 공자 말씀하시기를, "같지 않도다. 그와 너는 같지 않노라." 고 하셨다.

10. Zai Yu dormis tage. La Majstro diris: "Putra ligno ne estas skulptebla, muro el malpura tero ne indas truladon. Tiu ĉi Yu! Kian utilon alportus al li mia admono?"

La Majstro diris: "Antaŭe mia maniero trakti aliajn estis aŭskulti iliajn vortojn kaj meti mian fidon sur iliajn agojn. Nun mia maniero estas aŭskulti iliajn vortojn kaj observi iliajn agojn. Estis Yu, kiu igis min fari tiun ĉi ŝanĝon."

재여가 낮잠을 자거늘, 공자 말씀하시기를, "썩은 나무는 조각할수가 없고 썩은 흙으로 만든 담장은 흙손질하지 못할 것이니 여에게 무엇을 꾸짖을 것인가." 라고 하셨다. 공자 말씀하시기를, "전에는 내가 사람에게 말을 듣고 행실을 믿었더니 이제 내가 말을 듣고 행실을 살피니 나를 변화시킨 것이 재로다." 라고 하셨다.

11. La Majstro diris: "Mi neniam vidis homon kun karaktero nefleksebla." Iu respondis: "Shen Cheng estas tia homo." "Cheng," diris la Majstro, "havas tro multajn dezirojn. Kiel do li povas esti kalkulata kiel homo nefleksebla ?"

공자 말씀하시기를, "나는 강한 자를 아직 보지 못하였다." 고 하니 어떤 사람이 말하기를, "신정이 그런 사람입니다." 하니 공자 말씀하시기를, "신정은 욕심이 많으니 어찌 강하다 하겠는가." 라고 하셨다.

12. Zigong diris: "Kion mi ne deziras, ke aliaj faru al mi, tion mi ne deziras fari al aliaj." La Majstro diris: "Ci, tion ĉi vi ne povas atingi."

자공이 말하기를, "나는 남이 나에게 더하는 일을 바라지 않으므로 나도 남에게 가하지 않겠습니다." 라고 하였다. 공자 말씀하시기를, "자공아, 이것은 네가 미칠 바가 아니다." 고 하셨다.

13. Zigong diris: "La instruoj de nia Majstro pri lia doktrino estas aŭdeblaj; liaj instruoj pri la homa naturo kaj la volo de Ĉielo ne estas aŭdeblaj."

자공이 말하기를, "선생님의 문장은 얻어 들을 수 있지마는 선생님의 말씀 중에 인성과 천도에 대한 말씀은 얻어 들을 수가 없었다." 고 했다.

14. Zilu ne deziras ion novan antaŭ ol praktiki la malnovan.

자로는 오래된 것을 수행하기 전에 새로운 것을 원하지 않았다.

15. Zigong demandis: "Kial Kong Wen ricevis postmorte la titolon Wen?" La Majstro respondis: "Li estis inteligenta kaj lernema, tiel lernema, ke li ne hontis demandi eĉ siajn subulojn pri tio, kion li ne scias. Jen kial li estis titolita per Wen."

자공이 묻기를, "공문자를 사후에 어찌 문이라고 이르십니까." 라고 하니 공자 말씀하시기를, "총명하고 학구적이어서 자신이 모르는 것을 부하들에게도 묻는 것을 부끄러워하지 않는다. 이런 까닭에 문이라고 이르는 것이다." 고 하셨다.

16. Parolante pri Zichana, la Majstro diris: "Li havis kvar kvalitojn de noblulo: en sia konduto li estis humila; en servado al siaj superuloj li estis respektema; en nutrado de la popolo li estis bonkora; en ordonado al la popolo li estis justa."
공자께서 자산에 관해 이르기를, "그는 군자의 네가지 도리를 가졌으니, 몸가짐은 겸손하고 윗사람을 섬기기에 공손하고 백성 기르기에 착하고 백성 부리기를 의롭게 한다." 고 하셨다.

17. La Majstro diris: "Yan Pingzhong sciis kiel bone teni sian amikecon al aliaj. Ju pli longe oni amikis kun li, des pli profunde oni respektis lin."
공자 말씀하시기를, "안평중은 사람과 잘 사귀는구나. 사람들이 그를 오래도록 공경하는도다." 라고 하셨다.

18. La Majstro diris: "Zang Wenzhong tenis grandan testudon en speciala domo, kies kolonoj havis montet-formajn kapitelojn, kun pentraĵoj de herboj kaj floroj sur la mallongaj kolonetoj super la traboj subtenantaj la ĉevronojn. - Kiel li povis esti tiel 'saĝa'?"
공자 말씀하시기를, "장문중이 큰 거북을 간직함에 기둥에는 산 모양의 기둥머리를, 서까래를 지지하는 보 위의 짧은 기둥에는 풀과 꽃그림을 그린 특별한 집에 하였으니 어찌 지혜롭다 하겠는가." 라고 하셨다.

19. Zizhang demandis: "Kiam Ziwen estis trifoje nomumita ĉefministro de Chu-regno, li ne havis ĝojan mienon. Kiam li estis trifoje deoficigita, li ne havis koleretan mienon. Ĉiun fojon, kiam li forlasis sian postenon, li nepre donis detalajn klarigojn al la nova ĉefministro pri ĉiuj aferoj koncernantaj la postenon. Kian opinion vi havas pri li?" La Majstro respondis: "Li estis lojala." "Ĉu li estis perfekte virta?" "Mi ne scias. Kiel do tio povus esti kalkulata kiel perfekta virto ?" Zizhang ree demandis: "Kiam la granda oficisto Cui ribele mortigis la regnestron de Qi, Chen Wen, kvankam li estis la posedanto de kvardek ĉevaloj, forlasis ilin kaj foriris el sia regno. Veninte en alian regnon, li diris: "Ĉi tie la regantoj estas tiaj, kia nia Cui estas', kaj foriris el ĝi. Li alvenis en ankoraŭ alian regnon kaj kun la sama diro foriris ankaŭ el ĝi. - Kian opinion vi havas pri li?" La Majstro respondis: "Li estis morale senmakula." "Ĉu li estis perfekte virta?" "Mi ne scias. Kiel do tio povus esti kalkulata kiel perfekta virto?"

자장이 묻기를, "자문이 세 번 영윤이 되었어도 전혀 기쁜 기색이 없었고 세 번 벼슬을 그만 두되 성내는 기색이 없고 벼슬을 그만 둘 때마다 자신이 맡은 영윤의 정사를 반드시 새 영윤에게 고하니 어떠합니까." 고 하니 공자 말씀하시기를, "그는 충성스럽구나." 라고 하셨다. 자장이 말하기를, "어진 것입니까." 고 하니 "잘 모르겠다. 어찌 어질다 하겠는가." 라고 하셨다.

자장이 다시 묻기를, "최저가 제나라 임금을 죽이니 진문자가 말 사십승의 소유자인데도 버리고 가서 다른 나라에 이르러 말하기를,

'우리 대부 최저와 같다.' 고 말하고 다시 떠나가 어떤 한 나라에 가서 말하기를, '우리 대부 최저와 같다.' 고 말하고 다시 떠났으니 어떠합니까." 라고 하니 공자 말씀하시기를, "매우 청렴하구나." 라고 했다. 자장이 말하기를, "어진 것입니까." 라고 하니 공자 말씀하시기를, "잘 모르겠다. 어찌 어진 일이겠는가." 라고 하셨다.

20. Ji Wen agis nur post trifoja pensado. Aŭdinte pri tio, la Majstro diris: "Du fojoj sufiĉus."
계문자가 세 번 생각한 뒤에 행하니 공자께서 들으시고 말씀하시기를, "두 번이 족하다." 고 하시다.

21. La Majstro diris: "Kiam en la regno regis bona ordo, Ning Wu" estis saĝa. Kiam la regno estis en malordo, li ŝajnigis sin malsaĝa. Lia saĝeco estas atingebla por aliaj, sed lia ŝajnigo de malsaĝeco ne."
공자 말씀하시기를, "영무자는 나라에 도가 있으면 지혜롭게 행동하고 나라에 도가 없으면 어리석게 행동했으니 그의 지혜는 따를 수 있지만 그의 어리석게 보임은 따를 수가 없도다." 라고 하셨다.

22. Kiam la Majstro estis en Chen-regno, li diris: "Lasu min reniri! Lasu min reniri! La lernantoj en mia hejmloko havas altan ambicion kaj brilan beletran talenton, sed ili ne scias kiel sin pritajli."
공자께서 진에 계시어 말씀하시기를, "돌아가자, 돌아가자. 우리 고향의 학생들은 야망이 높고 예술적 재능이 뛰어나지만 몸단장을 할 줄 모른다." 고 하셨다.

23. La Majstro diris: "Boyi kaj Shuqi estis pardonemaj al siaj ofendintoj, sekve tre malmultaj estis tiuj, kiuj

havis malpardonemon kontraŭ ili."

공자 말씀하시기를, "백이와 숙제는 가해자를 용서했기 때문에 그들을 용서하지 않는 사람은 거의 드물었다." 고 하셨다.

24. La Majstro diris: "Kiu diras, ke Weisheng Gao estas verdirema? Foje oni petis iom da vinagro de li, li elpetis tion de sia najbaro kaj donis ĝin al la petanto."

공자 말씀하시기를, "누가 미생고를 진실하다고 하는가? 한번은 어떤 사람이 식초를 빌리면 이웃에 가서 그것을 빌려서 주는구나." 라고 하셨다.

25. La Majstro diris: "Mielaj vortoj, hipokrita mieno kaj troa respekto estis rigardataj de Zuoqiu Ming kiel hontindaĵoj. Ankaŭ mi tiel opinias. Kaŝi sian malkontenton kontraŭ iu sed ŝajnigi sin amika al li estis rigardata de Zuoqiu Ming kiel hontindaĵo. Ankaŭ mi tiel opinias."

공자 말씀하시기를, "말을 공손히 하고 얼굴빛을 착하게 하고 공손을 지나치게 하는 것을 좌구명이 부끄럽게 여겼는데 나도 이러한 것을 부끄럽게 여긴다. 원망을 숨기고 그 사람과 벗하는 것을 좌구명이 부끄러이 여겼는데 나도 이러한 것을 부끄럽게 여긴다." 고 하셨다.

26. Foje, kiam la Majstro sidis kaj Yan Yuan kaj Jilu staris apude, li diris al ili: "Kial vi ne diru vian aspiron?"

Zilu diris: "Mi volus, se mi havus ĉarojn, ĉevalojn kaj peltaĵojn, dividi la uzon de ili kun miaj amikoj kaj, eĉ se ili eluziĝus, mi ne sentus bedaŭron."

Yan Yuan diris: "Mi volus ne fanfaroni pri miaj bonaj kvalitoj, nek elmontri miajn meritojn."

Zilu do diris: "Ni deziras, Majstro, aŭdi vian aspiron."

La Majstro diris: "Mia aspiro estas, ke la maljunuloj vivu pace kaj komforte, amikoj havu fidon unu al alia kaj la junaj homoj estu bone prizorgataj."

안연과 자로가 공자를 모시었다. 공자 말씀하시기를, "각자 너의 뜻을 각각 한번 말해보겠는가." 라고 하시니

자로가 이르기를, " 수레와 말과 가벼운 갓옷을 친구와 함께 쓰다가 그것이 낡아져도 유감이 없겠습니다." 라고 하니

안연이 말하기를, "원컨대 잘한 것을 자랑하거나 공로를 드러냄이 없기를 원합니다." 라고 했다.

자로가 말하기를, "원컨대 선생님의 뜻을 듣고자 합니다." 라고 하니 공자 말씀하시기를, "늙은이를 편안하게 하고 친구를 미덥게 사귀고 젊은 사람을 마음에 품어야 한다." 고 하셨다.

27. La Majstro diris: "Ba! Mi neniam vidis homon, kiu povus konscii siajn proprajn kulpojn kaj sin akuzi en si."

공자 말씀하시기를, "제기랄! 나는 자신의 허물을 보고 마음 속으로 스스로 꾸짖는 사람을 아직 보지 못했다." 고 하셨다.

28. La Majstro diris: "En dekfamilia vilaĝeto vi certe trovos iun, kiu estas honesta kaj sincera kiel mi, sed mi dubas, ĉu vi povus trovi iun, kiu estus same lernema kiel mi."

공자 말씀하시기를, "열 집이 살고 있는 읍에는 반드시 충성과 믿음이 나와 같은 이가 있겠지만 나처럼 배움을 좋아하지는 못할 것이다." 고 하셨다.

ĈAPITRO VI YONG YE 제6장 용야

1. La Majstro diris: "Koncerne Yong, li povus okupi gravan postenon."
공자 말씀하시기를, "염옹은 임금노릇을 할 만하다." 고 하셨다.

2. Zhonggong demandis pri Zisang Bozi". La Majstro diris: "Laŭdinda estas lia simpligo de la formalaĵoj ."
Zhonggong diris: "Se oni regas la popolon per seriozeco kaj samtempe per simpligo de la formalaĵoj, ĉu tio ne estas aprobinda? Sed se oni simpligas la formalaĵojn nur pro la simpligo mem, ĉu tio ne estas troa simpligo?" La Majstro diris: "Vi estas prava."
중궁이 자상백자를 물으니 공자 말씀하시기를, "가하다. 그러나 간소하다." 고 하셨다.
중궁이 말하기를, "공경하게 거하고 간소하게 행하여 그의 백성에 임하면 또한 가하지 아니합니까? 간소한 데에 거하여 간소하게 행하면 너무 간소하지 아니합니까?" 고 하였다.
공자 말씀하시기를, "네 말이 옳다." 고 하셨다.

3. La princo Ai demandis Konfuceon: "Kiu el viaj disĉiploj estas la plej lernema?" La Majstro respondis: "Yan Hui estis la plej lernema. Li ne verŝis sian koleron sur aliajn. Li ne ripetis eraron. Malfeliĉe, lia vivo estis mallonga kaj li mortis. Kaj nun la simila homo ne troviĝas. Mi neniam aŭdis pri iu alia, kiu estus tiel lernema, kiel li."
애공이 묻기를, "제자 중에 누가 배움을 좋아합니까." 라고 하니 공자 대답하시기를, "안회라는 자가 있어서 배우기를 좋아하여 노한 것을 옮기지 아니하며 잘못을 두 번하지 아니 하더니 불행히도 일찍 죽고 지금은 없습니다. 그처럼 배우기를 좋아하는 자를 아직 보지 못했습니다." 고 하셨다.

4. Post kiam Zihua estis sendita kun komisio al Qi-regno, la disĉiplo Ran Qiu petis grenon por lia patrino. La Majstro diris: "Donu al ŝi unu fu-on. Ran petis pli. "Donu al ŝi unu ju-on, diris la Majstro.
Sed Ran donis al ŝi kvin bing-ojn.
La Majstro diris: "Kiam Chi veturis al Qi-regno, li havis fortikajn ĉevalojn jungitajn al la kaleĝo, kaj havis sur si malpezajn peltaĵojn. Mi aŭdis la onidiron: noblulo helpas homon en urĝa bezono, sed ne faras aldonon al la riĉaĵo de riĉulo."

자화가 제나라에 사신으로 가게 되니 염구가 자화의 어머니를 위하여 곡식을 청하니 공자 말씀하시기를, "한 부를 주라." 하니 자화가 더 청하니 공자 말씀하시기를, "한 유를 주라." 하시니 염자가 곡식을 다섯 병을 주었더니 공자 말씀하시기를, "자화가 제나라에 갈 때 말을 타고 가벼운 갓옷을 입었으니 내가 듣기에는 군자는 부족한 이를 도와주고 궁핍한 이를 도와주나 부유한 이를 보태어주지 않는다." 고 하셨다.

5. Dum Yuan Si funkciis kiel intendanto de la domo de Konfuceo, tiu donis al li 90 hektolitrojn da greno kiel salajron, sed Yuan Si ne akceptis ilin. La Majstro diris: "Ne rifuzu ilin. La superfluon vi povas disdoni al la malriĉuloj en via hejmloko."

원사가 공자의 가신이 되었다. 곡식 구백 섬을 주시니 사양하거늘 공자 말씀하시기를, "사양하지 마라. 잉여금을 고향의 가난한 사람들에게 나누어 줄 수 있다." 고 하셨다.

6. Parolante pri Zhonggong, la Majstro diris: "Se la ido de plugbovo havus ruĝajn harojn kaj belajn kornojn, kvankam homoj ne volus uzi ĝin kiel oferaĵon, ĉu la dioj de la montoj kaj riveroj povus doni nenian atenton al ĝi?"
공자님이 중궁을 평하여 말씀하시기를, "얼룩소의 새끼가 붉고 또 뿔이 나면 비록 제물로 쓰지 않으려고 하여도 산천의 신이 그것을 버리겠는가." 라고 하셨다.

7. La Majstro diris: "Tia estis Hui, kiu dum tre longa tempo povis havi en sia menso nenion kontraŭan al la perfekta virto. La aliaj nur okaze pensas pri ĝi dum mallonga tempo.'
공자님이 말씀하시기를, "안회는 아주 오랫동안 마음속에 완전한 덕에 반대되는 것이 아무것도 없었다. 다른 사람들은 가끔 그것에 대해 생각한다." 고 하셨다.

8. Ji Kang demandis: "Ĉu Zhong You taŭgas por esti registara oficisto?" La Majstro diris: "You estas homo decidema; kian malfacilon do li povus trovi en sia funkciado kiel registara oficisto ?"
Ji Kang redemandis: "Ĉu Ci taŭgas por esti registara oficisto?" La Majstro diris: "Ci estas homo prudenta; kian malfacilon do li povus trovi en sia funkciado kiel registara oficisto?"
Kaj al la sama demando pri Ran Qiu la Majstro donis la saman respondon: "Qiu estas homo kun multflankaj

kapabloj; kian malfacilon do li povus trovi en sia funkciado kiel registara oficisto?"

계강자가 묻기를, "자로는 정사를 맡을 만합니까." 라고 하니 공자님이 말씀하시기를, "자로가 과감하니 정사를 좇음에 무엇이 어렵겠는가." 라고 하셨다.

계강자가 묻기를, "자공은 정사를 맡을 만합니까." 라고 하니 공자님이 말씀하시기를, "자공은 사리에 밝으니 정사를 좇음에 무엇이 어렵겠는가." 라고 하셨다.

계강자가 묻기를, "염유는 정사를 맡을 만합니까." 라고 하니 "염유는 재능이 많으니 정사를 좇음에 무엇이 어렵겠는가." 라고 하셨다.

9. La ĉefo de Ji-familio sendis peti Min Ziqian funkcii kiel prefekto de Bi. Min Ziqian diris al la sendito: "Bonvolu ĝentile transdiri mian fordankon. Se iu ree venos al mi kun dua invito, mi estos devigita forkuri norden de Wen-rivero kaj vivi tie."

계씨가 민자건을 비 땅의 원을 삼으려 하니 민자건이 말하기를, "나를 위해서 잘 말하라. 만일 다시 나를 부른다면 나는 반드시 문수 북쪽으로 가서 살 것이다." 고 했다

10. Kiam Boniu suferis malsanon, la Majstro iris lin viziti. Per sia mano etendita tra la fenestro li tenis la manon de Boniu kaj diris: "Li pereas. Tio estas la destino de lia sorto, ho ve! Tia homo estas trafita eĉ de tia malsano! Tia homo estas trafita eĉ de tia malsano!"

염백우가 병이 있어 공자께서 문병하시며 창으로 뻗은 그 손을 잡으시며 말씀하시기를, "죽을 병에 걸리다니 운명이구나. 이 사람이 이런 병에 걸리다니! 이 사람이 이런 병에 걸리다니!" 라고 하셨다.

11. La Majstro diris : Admirinda estis la virto de Hui! Korbeto da nutraĵo por manĝi, botelkukurba ĉerpilo da akvo por trinki, loĝo ĉe aĉa strateto ĉion ĉi tion aliaj rigardus kiel mizeron neelteneblan, sed Hui restis ĉiam bonhumora malgraŭe. Admirinda ja estis la virto de Hui!"

공자님이 말씀하시기를, "어질구나! 안회여, 한 그릇의 밥과 한 표주박의 음료로 누항에 살면 사람들은 그 근심을 견디지 못하거늘 안회는 그 즐거움을 고치지 않으니 어질구나! 안회여." 라고 하셨다.

12. Ran Qiu diris: "Ne via doktrino malplaĉas al mi, sed mia forto estas nesufiĉa." La Majstro diris: "Tiu, kies forto estas nesufiĉa, haltas en la mezo de la vojo, sed vi ankoraŭ ne ekiris."

염구가 말하기를, "선생님의 도를 좋아하지 않는 것이 아니지만 저의 힘이 부족합니다." 라고 하니 공자님이 말씀하시기를, "힘이 부족한 자는 중도에서 그만 두는 법이니 이제 너는 아직 해보지도 않았다." 고 하셨다.

13. La Majstro diris al Zixia: "Estu noblulo-klerulo, kaj ne malnoblulo-klerulo."

공자님이 자하에게 말씀하시기를, "너는 군자다운 선비가 되고 소인 같은 선비가 되지 말라." 고 하셨다.

14. Kiam Ziyou funkciis kiel prefekto de Wucheng, la Majstro diris al li: "Ĉu vi jam trovis homon multkapablan tie?" Li respondis: "ĉi tie estas homo nomata Dantai Mieming. Li neniam prenas vojeton

survoje kaj neniam vizitis min escepte se li havas ofican aferon."

자유가 무성의 원이 되니, 공자님이 말씀하시기를, "네가 사람을 얻었는가." 라고 하셨다. 자유가 "담대멸명이라 하는 자가 있으니 행하는데 지름길로 하지 않으며 공사가 아니면 저의 집에 오지 않습니다." 라고 대답했다.

15. La Majstro diris: "Meng Zhifan neniam fanfaronas pri sia merito. En okazo de militfuĝo li ariergarde ŝirmis la soldatojn. Sed kiam liaj soldatoj estis tuj enirontaj la pordegon de sia propra urbo, li vipis sian ĉevalon kaj diris: 'Estas ne mia kuraĝo, kiu igas min esti la lasta; sed mia ĉevalo ne povis kuri rapide.'"

공자님이 말씀하시기를, "맹지반은 공을 자랑하지 않는다. 패전하여 도망하여 돌이켜 적과 싸워 막았는데 성문을 들어갈 적에 그 말을 채찍질하여 말하기를, '내가 감히 뒤서는 것이 아니라, 말이 나아가지 않는 것이다.' 고 했다." 고 하셨다.

16. La Majstro diris: "Se oni posedas ne la elokventecon de Zhu Tuo", sed nur la belan aspekton de Song Chao, estas malfacile por li eviti malfeliĉojn en la nuna tempo."

공자님이 말씀하시기를, "축관인 타의 말재주와 송나라의 조와 같은 고운 얼굴이 아니고는 지금 세상에서는 화난을 면하기 어려울 것이다." 고 하셨다.

17. La Majstro diris: "Kiu povas eldomiĝi sen trairi la pordon? Kial do oni ne iras laŭ tiu ĉi vojo mia?"

공자님이 말씀하시기를, "누가 나갈 때에 이 문을 거치지 않는 이가 없으리오마는 어찌 이 도를 따라가지 아니하느냐?" 라고 하셨다.

18. La Majstro diris: "Kiam simpleco superas la rafinitecon, krudeco rezultas. Kiam rafiniteco superas simplecon, supraĵeco estiĝas. Nur kiam rafiniteco kaj simpleco estas en egalpezo, oni fariĝas homo nobla."
공자님이 말씀하시기를, "단순함이 세련미를 능가할 때 조잡함이 생깁니다. 세련미가 단순함을 넘어서면 피상성이 생길 것이니 세련미와 단순함이 고루 어울린 뒤에야 군자인 것이다." 고 하셨다.

19. La Majstro diris: "La homo naskiĝas por honesteco. Se homo perdas sian honestecon kaj ankoraŭ vivas, lia evito de morto estas nur la efiko de bona ŝanco."
공자님이 말씀하시기를, "사람이 태어남은 정직하니 정직하지 않고 사는 것은 요행으로 죽음을 면하는 것이다." 고 하셨다.

20. La Majstro diris: "Tiuj, kiuj scias la veron, ne estas egalaj al tiuj, kiuj ĝin amas, kaj tiuj, kiuj ĝin amas, ne estas egalaj al tiuj, kiuj trovas plezuron en ĝi."
공자님이 말씀하시기를, "아는 자는 좋아하는 자만 못하며 좋아하는 자는 즐거워하는 자보다 못하다." 고 하셨다.

21. La Majstro diris: "Al tiuj, kies inteligenteco estas super la meza nivelo, oni povas instrui ion ne facile kompreneblan. Al tiuj, kies inteligenteco estas sub la meza nivelo, oni ne povas tion instrui ."
공자님이 말씀하시기를, "보통 사람 이상은 높은 도리를 말할 수 있지만, 보통 사람 이하는 가르칠 수 없다." 고 하셨다.

22. Fan Chi demandis pri saĝeco. La Majstro diris: "Kiu sin donas al la devo gvidi la popolon sur la vojon de justeco kaj, respektante la spiritojn, fortenas sin de ili, tiu povas esti nomata homo saĝa."

Li demandis pri la perfekta virto. La Majstro diris: "Kiu rigardas penegadon kiel sian unuan aferon kaj sukceson nur kiel postan konsideron, tiu povas esti rigardata kiel homo de perfekta virto."

번지가 지혜를 물으니 공자님이 말씀하시기를, "백성을 의의 길로 안내하고 귀신을 공경하되 멀리 하면 지혜롭다 말 할 수 있다." 고 하셨다.

번지가 어짐에 대해서 물으니, 공자님이 말씀하시기를, "어려운 일을 먼저하고 얻는 일을 나중하면 어질다고 할 수 있다." 고 하셨다.

23. La Majstro diris: "La saĝulo trovas plezuron en akvo; la virtulo trovas plezuron en montoj. La saĝulo estas aktiva; la virtulo estas trankvila. La saĝulo estas ĝoja; la virtulo estas longviva."

공자님이 말씀하시기를, "지혜로운 사람은 물을 좋아하고 어진 사람은 산을 좋아하나니 지혜로운 사람은 동적이고 어진 사람은 정적이며 지혜로운 사람은 즐기고 어진 사람은 오래 살게 된다." 고 하셨다.

24. La Majstro diris: "Qi-regno, en politika reformado, povus atingi la staton de Lu-regno. Lu-regno, en politika reformado, povus atingi la staton, kiu superregus veraj principoj."

공자님이 말씀하시기를, "제나라의 습속이 한 번 변하면 노나라에 이를 것이고 노나라의 습속이 한 번 변하면 도에 이를 것이다." 고 하셨다.

25. La Majstro diris: "Jen gu-o sen anguloj. Stranga gu-o! Stranga gu-o!"
공자님이 말씀하시기를, "모난 술잔인 〈고〉가 모나지 않으면 〈고〉 이겠는가, 〈고〉이겠는가." 라고 하셨다.

26. Zai Wo demandis: "Se oni diras al virtulo, ke iu homo virta falis en puton, ĉu li sin ĵetos en ĝin post li?" La Majstro diris: "Kial do necesus tiel agi? Li povus iri al la puto por savi la enfalinton, sed li ne devus vane perdi la vivon. La virtulo povas esti trompita per io ŝajne pravigebla, sed li ne povas esti traktata kiel stultulo."
재아가 묻기를, "어진 자란 〈우물에 어떤 사람이 빠졌다〉고 고하면 그를 좇아 빠지는 것입니까" 공자님이 말씀하시기를, "어찌 그러 하겠는가. 군자는 그곳까지 갈 수는 있으나 헛되이 목숨을 잃어서 는 안된다. 외적으로 정당해 보이는 것에 속을 지언정 어리석게 보 일 수는 없을 것이다." 고 하셨다.

27. La Majstro diris: "La noblulo, kiu vaste studas literaturon kaj samtempe scias, kiel konduti laŭ la decreguloj, ne povas deflankiĝi de la ĝusta vojo."
공자님이 말씀하시기를, "군자는 글을 널리 배우며 행하기를 예로 서 하면 바른 길에서 벗어나지 않을 것이다." 고 하셨다.

28. La Majstro vizitis Nanzi. Tio malplaĉis al Zilu. La Majstro do ĵuris: "Se mi faris tie ion ne decan, Ĉielo min abomenu! Ĉielo min abomenu!"

공자께서 남자를 찾아가시니 자로가 기뻐하지 않거늘 선생님께서 맹세하여 말씀하시기를, "내가 예에 맞지 않았다면 하늘이 싫어할 것이다. 하늘이 싫어할 것이다." 고 하셨다.

29. La Majstro diris: "Kiel transcenda estas la morala forto de la Ĝusta Mezo! Malofta jam de longe estas ĝia praktikado inter la popolo."
공자님이 말씀하시기를, "중용의 덕됨이 지극한데 백성가운데 드문 것이 오래되었구나." 라고 하셨다.

30. Zigong diris: "Se troviĝus homo, kiu ne nur vaste farus bonon al la popolo, sed ankaŭ donus helpon al ĉiuj, kion do vi dirus pri li? Ĉu tia homo povus esti rigardata kiel perfekte virta?" La Majstro diris: "Ĉu li estus nur perfekte virta? Li sendube estus sankte saĝa! Eĉ Yao kaj Shun malfacile tion faris. Laŭ mi la perfekta virto konsistas en tio: Vi mem deziras stari, tiam helpu aliajn stariĝi; vi mem deziras sukceson, tiam helpu aliajn atingi la samon. Se vi kapablas juĝi pri aliaj laŭ kriterio, laŭ kiu vi juĝas ankaŭ pri vi mem; tio povas esti nomata la arto praktiki la perfektan virton."
자공이 말하기를, "만일 백성에게 널리 은덕을 베풀어서 능히 무리를 구제한다면 어떠합니까. 인이라 부를 만합니까." 하니 공자님이 말씀하시기를, "어찌 인에만 관계된 일이리오 반드시 성인일 것이니 요순 임금도 오히려 어렵게 여겼을 것이다. 어진자는 자기가 서고자 하면 다른 사람을 세워주고 자기가 달하고자 하면 다른 사람을 달하게 한다. 자기를 판단하는 기준으로 다른 사람을 판단할 수 있다면 그것이 인을 실천하는 방법이라 할 수 있다."고 하셨다.

ĈAPITRO VII SHU ER   제7장 술이

1. La Majstro diris: "Estante interpretanto kaj ne verkanto, havante kredon kaj amon al la antikveco, mi en mia koro komparas min kun la maljuna Peng."
공자 말씀하시기를, "옛 것을 풀이하고 창작하지 아니하며 믿어서 옛 것을 좋아하는 것을 그윽히 우리 노팽에게 비유할 것이다." 고 하셨다.

2. La Majstro diris: "Silente enmemorigi viditaĵojn kaj aŭditaĵojn, lernadi sen enuo kaj instruadi sen laciĝo. Kiun el ĉi tiuj aferoj mi jam bone plenumas?"
공자 말씀하시기를, "묵묵히 진리를 알아내며 배워서 싫어하지 않고 사람들을 가르치기를 게을리 하지 않는 것, 이 중 내가 이미 잘 하는 것은 무엇이냐." 고 하셨다.

3. La Majstro diris: "Ne kulturi la virton, ne transdoni al aliaj ĉion, kion vi ellernis; ne povi aliri al justeco sciante, kie ĝi estas; kaj ne ĝustatempe korekti viajn erarojn: - jen ĉio, pri kio mi maltrankvilas."
공자 말씀하시기를, "덕을 닦지 못하는 것과 배운 모든 것을 전달 하지 못하는 것과 의가 어디 있는지 알면서도 갈 수 없는 것과 잘 못을 제때 고치지 못하는 것이 나의 근심이다." 라고 하셨다.

4. Kiam la Majstro estis senfare hejme, li estis bonorde vestita, kaj lia mieno estis milda kaj trankvila.
공자께서 한가히 거하시니 잘 차려 입고 그 모습은 부드럽고 편안 하셨다.

5. La Majstro diris: "Ekstrema estas mia kadukeco. Jam de longe mi ne sonĝas pri la duko de Zhou."

공자 말씀하시기를, "심하다, 나의 쇠약함이여. 오래도록 내가 꿈에 주공을 다시 뵙지 못했도다." 라고 하셨다.

6. La Majstro diris: "Metu vian koron sur la doktrinon, subtenu vin per alta moraleco, apogu vin sur la perfekta virto, kaj serĉu distriĝon en la artoj."

공자 말씀하시기를, "도에 뜻을 두며 덕에 의거하며 어진 것에 의지하며 예에서 노닐어야 할 것이다." 고 하셨다.

7. La Majstro diris: "Mi neniam rifuzas instrui tiujn, kiuj volonte alportas al mi faskon da sekigitaj viandopecoj kiel pagon por la instruado."

공자 말씀하시기를, "마른 고기 한 묶음 이상의 예물을 가져온 사람에게 내가 일찍이 가르쳐주지 아니한 것이 없도다." 고 하셨다.

8. La Majstro diris: "Kiu ne avidas sciojn, tiun mi ne instruas; kiu ne troviĝas en malfacilo sin esprimi, al tiu mi ne donas helpon. Se mi montras unu angulon de objekto al iu kaj li ne povas ekscii la aliajn tri, mi ne daŭrigas mian lecionon."

공자 말씀하시기를, "지식에 목마르지 아니하는 자를 내가 가르치지 아니하나니 자신을 표현하는 것이 어렵지 않은 사람에게는 도움을 주지 않고, 한 구석을 들어서 세 모퉁이를 알지 못하면 계속 가르쳐주지 않는다." 고 하셨다.

9. La Majstro neniam satmanĝis flanke de funebranto.

공자께서 상주 곁에 계시면서 배불리 먹지 아니하셨다.

10. La Majstro ne kantis en la tago, en kiu li jam ploris por funebro.
공자께서 이 날에 통곡을 하시고 노래를 부르지 아니 하셨다.

11. La Majstro diris al Yan Yuan : "Kiam mi estas bezonata, mi prenas sur min oficon; kiam mi ne estas bezonata, mi min kaŝas. Mi pensas, ke nur mi kaj vi povas tiel agi."
공자께서 안연에게 이르기를, "나를 등용하면 행하고 등용하지 않으면 숨는다. 그렇게 행할 이는 나와 너가 있을 뿐이다." 고 하셨다.

Zilu demandis: "Se vi estus komisiita komandi la armeojn de iu regno, kiun do vi prenus por vin helpi?" La Majstro diris: "Tian homon, kiu estus preta senarme lukti kun tigro aŭ transiri riveron sen ŝipo je risko de sia vivo, mi ne prenus. Mi devus preni iun, kiu alfrontus malfacilajn taskojn kun malriskemo kaj kiu preferus atingi sukceson per strategiaj rimedoj."
자로가 말하기를, "선생님께서 어느 지역의 군대를 다스린다면 누구와 함께 하겠습니까." 라고 하니 공자 말씀하시기를, "범을 맨손으로 잡으며 목숨을 걸고 하수를 배도 없이 걸어서 건너는 자와 같이 하지 않는다. 반드시 어려운 일에 임하여 두려워하고 계획을 세워서 이루는 이를 좋아한다." 고 하셨다.

12. La Majstro diris: "Se oni povus akiri por si riĉaĵojn juste, mi akirus ilin ĉiamaniere, eĉ se mi fariĝus pordogardisto kun vipo en la mano. Se la akiro neniel sukcesos, mi do plu okupos min pri tio, kion mi

amas."

공자 말씀하시기를, "올바르게 부유를 얻을 수 있다면 비록 말채찍을 잡는 일꾼이라도 나는 그러한 일을 하겠고 만일 구하지 못할 일이라면 내가 좋아하는 것을 따르리라." 고 하셨다.

13. La aferoj, kontraŭ kiuj la Majstro estis aparte singarda, estas fasto, milito kaj malsano.

공자가 조심하는 것에는 단식과 전쟁과 질병이었다.

14. Kiam la Majstro estis en Qi-regno, li aŭdis la muzikpecon Shao, kaj post tio li ne konis la guston de viando dum tri monatoj. "Mi ne atendis," li diris, "ke mi povos droni en ĝuo de tiu muziko ĝis tia grado."

공자가 제나라에 있으면서 〈소〉를 들으시고 석 달 동안 고기 맛을 알지 못하시고 공자 말씀하시기를, "내가 그 음악의 즐거움에 이렇게까지 빠져들 수 있을 줄은 예상하지 못했다" 고 하셨다.

15. Ran You diris: "Ĉu nia Majstro estas por la princo de Wei?" Zigong diris: "Nu, mi demandos lin."
Enirinte en la ĉambron de la Majstro, Zigong demandis: "Kiaj homoj estis Boyi kaj Shuqi?" "Ili estis distingiĝaj homoj en la antikveco," respondis la Majstro. "Ĉu ili havis bedaŭron pro siaj agoj?" La Majstro respondis: "Ili penis virte agi, kaj ili tiel agis. Kial do ili devus bedaŭri?"
Elirinte el la ĉambro, Zigong diris al Ran You: "Nia Majstro ne estas por li."

염유가 이르기를, "선생님께서 위나라 임금을 위하시겠는가." 하니 자공이 말하기를, "그래, 내가 장차 여쭈어 보겠다." 고 하고 들어

가서 말하기를, "백이와 숙제는 어떤 사람입니까?" 하니 공자 말씀하시기를, "옛날의 어진 사람이니라." 고 하셨다.

"그들이 원망하였습니까?" 하니 공자 말씀하시기를, "어진 것을 구하여 어진 것을 얻었으니 또 무엇을 원망했겠는가." 라고 하셨다. 나와서 말하기를, "선생님께서는 돕지 아니할 것이다." 고 했다.

16. La Majstro diris: "Eĉ kun kruda nutraĵo por manĝi, malvarma akvo por trinki, kaj fleksita brako kiel kapkuseno, mi ankoraŭ havas ĝojon. Riĉaĵoj kaj honoro maljuste akiritaj estus por mi kiel flosantaj nuboj."

공자 말씀하시기를, "거친 밥을 먹고 찬 물을 마시고 팔베개를 하더라도 즐거움이 그 중에 있도다. 의롭지 아니하고서 부유하게 되고 귀하게 된 것은 나에게는 뜬 구름과 같으니라." 고 하셨다.

17. La Majstro diris: "Se kelkaj jaroj estos aldonitaj al mia vivo, mi komencos studi «Libron de ŝanĝiĝoj » en mia kvindeka jaro, kaj de tiam mi povos esti libera de grandaj eraroj."

공자 말씀하시기를, "나에게 몇 년이 더 주어진다면 나이 오십에 『주역』을 배워 큰 허물을 없앨 수 있으리라." 고 하셨다.

18. La Majstro uzis ankaŭ la komunan elparoladon. Kiam li voĉlegis el «Libro de Poezio» kaj «Libro de Historio» kaj plenumis ritajn ceremoniojn, li ĉiam uzis la komunan elparoladon.

공자는 또한 통용되는 발음을 사용하셨다. 『시경』과 『서경』을 낭독하고 제사를 지낼 때는 항상 통용되는 발음을 사용하셨다.

19. La duko de She demandis Zilu pri Konfuceo. Zilu ne respondis al li. La Majstro poste diris al Zilu: "Kial vi ne diris al li: Li estas tia homo, kies diligenteco en studado estas tiel forta, ke li eĉ forgesas manĝadon; kies ĝojo en serĉado de scioj estas tiel granda, ke li eĉ forgesas siajn ĉagrenojn kaj ne konscias, ke maljuna aĝo baldaŭ venos al li?"

섭공이 공자에 대하여 자로에게 물으니 자로는 대답하지 못했다. 공자 말씀하시기를, "너는 어찌하여 '그 사람의 사람 됨이 배움을 좋아하고 분발하여 먹는 일도 잊으며, 즐거워 근심도 잊고 늙어가는 것을 알지도 못한다.' 고 말하지 않았느냐." 고 말씀하셨다.

20. La Majstro diris: "Mi ne estas tia homo, kiu havas kunnaskitajn sciojn. Mi estas nur tia homo, kiu amas lerni el la antikveco kaj estas diligenta en serĉado de scioj."

공자 말씀하시기를, "나는 나면서부터 아는 사람이 아니라 옛것을 좋아하여 부지런히 구하는 사람이다." 고 하셨다.

21. La Majstro ne parolis pri monstroj, nek pri perfortaĵoj, nek pri riberoj, nek pri spiritoj.

공자는 괴물이나 폭력이나 난동이나 귀신에 대해 말하지 않으셨다.

22. La Majstro diris: "Kiam mi promenas kune kun du aliaj, mi certe havas mian instruiston inter ili. Mi elektos liajn bonajn kvalitojn por sekvi kaj liajn malbonajn kvalitojn por eviti."

공자 말씀하시기를, "세 사람이 길을 가면 반드시 나의 스승이 있나니 나는 그의 좋은 자질을 따르고 그의 나쁜 자질을 피하겠다." 고 하셨다.

23. La Majstro diris: "Ĉielo dotis min per la virto. Huan Tui -kion li povus fari al mi?"
공자 말씀하시기를, "하늘이 덕을 나에게 주셨으니 환퇴가 나를 어찌 할 것인가?" 라고 하셨다.

24. La Majstro diris: "Ĉu vi pensas, miaj disĉiploj, ke mi havas ion kaŝitan? Mi kaŝas nenion de vi. Mi faras nenion, kion mi ne komunikus al vi. Jen kia mi estas."
공자 말씀하시기를, "너희들은 내가 무엇을 숨긴다고 생각하는가? 나는 너희에게 숨기는 것이 없다. 행하고 너희에게 알려주지 않는 것이 없다. 나는 그런 사람이다." 라고 하셨다.

25. La kvar aferoj, kiujn instruis la Majstro, estis literaturo, etiko, lojaleco kaj fideleco.
공자께서 네 가지 일로써 가르치시니, 문과 행과 충과 신이었다.

26. La Majstro diris: "Sanktan saĝulon mi ne povas vidi. Se mi povus vidi homon vere talentan kaj virtan, tio min kontentigus."
La Majstro diris: "Homon vere bonan mi ne povas vidi. Se mi povus vidi homon havantan konstantecon en virto, tio min kontentigus. Ekzistas tiaj homoj, kiuj havas nenion kaj tamen afektas ion havi, estas malplenaj kaj tamen afektas esti plenaj, troviĝas en mizero kaj tamen afektas troviĝi en lukso; estas

malfacile por ili havi la konstantecon en virto."

공자 말씀하시기를, "성인을 직접 만나 볼 수 없으니 군자를 만나
볼 수 있다면 좋겠도다." 고 하셨다. 공자 말씀하시기를, "착한 사
람을 내가 만나 보지 못할진대 떳떳한 마음을 가진 사람이라도 만
나보았으면 좋겠다. 없으면서 있다고 하고 비었으면서 찼다고 하며
비참한데도 사치하면 떳떳한 마음을 가지기가 어렵다." 고 하셨다.

27. La Majstro kaptis fiŝojn per hoko, sed ne per reto.
Li arkpafis birdojn flugantajn, sed ne nestiĝintajn.

공자께서 낚시질은 하시나 그물질은 하지 않으시며 날아가는 새는
활을 쏘되 둥지의 새는 잡지 않으셨다.

28. La Majstro diris: "Eble ekzistas tiaj homoj, kiuj agas
sen scii la kialon. Sed koncerne min, mi ne estas unu
el ili. Aŭdi multe kaj elekti tion, kio estas bona, kaj
ĝin sekvi; vidi multe kaj noti ĝin al si en la memoro: -
la scioj tiel akiritaj estas malpli superaj nur al la scioj
kunnaskitaj."

공자 말씀하시기를, "이치를 알지 못하고 행하는 이가 있을까 나
는 이런 일이 없다. 많이 들어서 그 착한 것을 택하여 따르고 많이
보아서 기록하면 지혜의 다음은 되리라." 고 하셨다.

29. Estis malfacile paroli kun la homoj de Huxiang.
Tial, kiam iu knabo tiea venis peti intervidiĝon kaj
estis akceptita de la Majstro, ties disĉiploj tre miris. La
Majstro diris: "Mi aprobas lian aliron al mi kaj
malaprobas lian retiriĝon de mi. Ni ne devas esti tro
postulemaj. Se iu purigas sin por veni al ni, ni devas
aprobi tiun ĉi sinpurigon. Ni ne bezonas ĉiam teni lian

pasintecon en nia memoro.

호향 땅 사람들은 같이 말하기가 어려운데 그 마을 동자가 중재를 청하러 와서 스승님의 영접을 받았을 때 제자들은 매우 놀랐다. 공자 말씀하시기를, "나는 그가 내게 오는 것을 승인하고 나에게서 물러나는 것을 승인하지 않는다. 우리는 너무 요구해서는 안된다. 어떤 사람이 자기를 깨끗하게 하여 우리에게 오면 우리는 이 자기 정화를 인정해야 한다. 우리는 항상 지난 일을 마음 속에 두어서는 안 된다." 고 하셨다.

30. La Majstro diris: "Ĉu la virto estas io malproksima? Mi volas esti virta, kaj jen ĝi estas apude."

공자 말씀하시기를, "인에 이르는 길이 먼가. 내가 인을 하고자 하면 인은 곧 가까이에 있다." 고 하셨다.

31. Chen Sibai demandis la Majstron, ĉu la princo Zhao konas la decon, kaj Konfuceo diris: "Li konas la decon."

Post kiam Konfuceo foriris, Chen Sibai salutis Wuma Qi per kunigitaj manoj kaj petis lin alproksimiĝi, dirante: "Mi aŭdis, ke la noblulo estas senpartia. Ĉu Konfuceo povas esti partia? La princo Zhao edzinigis al si virinon el la regno Wu, kies princo havis la saman familian nomon kiel li, kaj nomis sin Wu Mengzi. Se la princo Zhao konis la decon, kiu do ĝin ne konas?" Wuma Qi transdiris ĉi tiujn vortojn al la Majstro, kaj tiu diris: "Feliĉa mi estas! Se mi havas erarojn, oni certe ilin scias."

진나라 사패가 묻기를, "소공이 예를 압니까?" 하니 공자 말씀하시기를, "예를 아신다." 고 하셨다.

공자가 물러나시니 무마기에게 읍하고 가서 말하기를, "군자는 편당하지 아니한다 하였는데 공자는 또한 편당하십니까. 소공이 같은 성씨의 오나라에 장가를 들어 같은 성씨가 되었는데 이를 〈오맹자〉라고 하니 그 임금이 예를 안다면 누가 예를 모르겠습니까?" 고 했다. 무마기가 이를 고하니 공자 말씀하시기를, "나는 참으로 다행이로다. 진실로 허물이 있으면 남들이 반드시 그것을 나에게 알려주니 말이다." 라고 하셨다.

32. Kiam la Majstro kantis kun aliaj, se iu kantis bele, li nepre petis tiun ripeti la kanton kaj poste akompanis ĝin per sia propra voĉo.

공자께서 사람과 더불어 노래를 하고 누가 잘하면 반드시 다시하라 하시고 뒤에 화답하셨다.

33. La Majstro diris: "Mi jam posedas sufiĉe multe da libraj scioj, sed mi ankoraŭ ne fariĝis granda virtulo, kiu sincere praktikas en la ĉiutaga vivo tion, kion li ellernis."

공자 말씀하시기를, "학문은 나도 충분히 많이 가졌으나 군자의 도를 생활 속에서 몸소 행하는 것은 내가 일찍이 하지 못하였다." 고 하셨다.

34. La Majstro diris: "Mi neniel kuraĝas pretendi esti sankta saĝulo aŭ homo de perfekta virto. Pri mi estas direble nur, ke mi neniam tediĝas de lernado, nek laciĝas de instruado al aliaj." Gongxi Hua" diris: "Ĝuste tion ni, viaj disĉiploj, ne povas fari."

공자 말씀하시기를, "성인과 군자 같은 존재야 내가 어찌 감히 될 수 있겠는가? 다만 배우기를 싫어하지 아니하고 사람 가르치기를 게을리 하지 않음을 말 할 수 있을 뿐이니라." 공서화가 말하기를, "참으로 제자가 능히 하지 못할 바입니다." 라고 했다.

35. Kiam la Majstro estis serioze malsana, Zilu petis la permesan fari preĝon por li. La Majstro diris: "Ĉu tia afero estas farebla?" Zilu respondis: "Jes. En la Preĝolibro estas dirite, "Preĝo estu farita al la spiritoj de la supra kaj suba mondoj'.' La Majstro diris: "Mia preĝo jam antaŭ longe estis farita."
공자가 병이 심하거늘 자로가 그를 위해 빌기를 청하니 공자 말씀 하시기를, "그러한 일이 가능한가?" 라고 하니 자로가 대답하기를, "있습니다." 고 했다. 〈기도책〉에 이르기를, "기도는 천지신명께 한다." 고 하였습니다. 공자 말씀하시기를, "내가 그러한 기도를 한 지는 오래 되었도다." 라고 하셨다.

36. La Majstro diris: "Luksemo kondukas al aroganteco, kaj ŝparemo al humileco. Mi preferas esti humila ol esti aroganta."
공자 말씀하시기를, "사치하면 오만해지고 검소하면 겸손하다. 그 러나 그 오만함보다는 차라리 겸손한 것이 좋다." 고 하셨다.

37. La Majstro diris: " La noblulo estas komplete trankvila; la malgranda homo estas ĉiam ĉagrenata."
공자 말씀하시기를, "군자의 마음은 편안하고 소인의 마음은 항상 걱정을 한다." 고 하셨다.

38. La Majstro estis milda, kaj tamen severa; digna, kaj tamen ne furiozema; majesta, kaj tamen trankvila.

공자는 온화하시면서 엄숙하시고 위엄이 있지만 분노하지 않으시고
웅장하면서도 차분하셨다.

ĈAPITRO VIII TAI BO   제8장 태백

1. La Majstro diris: "Taibo povas esti kalkulata kiel homo jam atinginta la plej altan gradon de la virto. Trifoje li cedis la tronon al Jili, kaj pro tio la popolo preskaŭ ne povis trovi ĝustajn vortojn por laŭdi lian konduton."

공자 말씀하시기를, "태백은 아마도 지극한 덕이 있는 사람이라고 하겠도다. 세 번 천하를 사양하므로 백성이 그 덕을 칭송할 마땅한 말을 찾을 수 없구나." 라고 하셨다.

2. La Majstro diris: "Respekto, sen la decreguloj, fariĝas lacigo; singardo, sen la decreguloj, fariĝas timemo; kuraĝo, sen la decreguloj, fariĝas malobeo; malkaŝemo, sen la decreguloj, fariĝas parolpikeco. Kiam tiuj, kiuj okupas altajn postenojn, bone plenumas ĉiujn siajn devojn al siaj parencoj, la popolo estas vekita al la virto. Kiam malnovaj amikoj ne estas neglektataj de ili, la popolo ne tenas sin fremda unu kontraŭ alia."

공자 말씀하시기를, "공손하기만 하고 예가 없으면 수고롭고, 삼가 기만하고 예가 없으면 두렵고, 용맹하기만 하고 예가 없으면 어지 럽히고, 드러내기만 하고 예가 없으면 말만 클 것이다.

웃사람이 친척에게 도탑게 하면, 백성이 인에 감동할 것이요, 옛 친 구를 잊지 아니하면 백성도 박대하지 않을 것이다." 고 하셨다.

3. Kiam Majstro Zeng estis malsana, li vokis al si siajn disĉiplojn kaj diris: "Rigardu miajn piedojn! Rigardu miajn manojn! Estas dirite en «Libro de Poezio» : "Ni

estu singardaj. kaj atentemaj, kvazaŭ ni starus sur la rando de abismo, aŭ irus sur maldika glacio sur akvo.' De nun mi scios, kiel mi povos eviti ĉiujn malfeliĉojn. Ho! vi, miaj knaboj."

증자가 병이 위중할 때 제자를 불러 말하기를, "나의 발을 보라. 나의 손을 보라 『시경』에 이르기를 '두려워하고 경계하기를 깊은 못에 이른 듯이 엷은 얼음을 밟듯 하라' 하였으니, 이제야 내가 어떻게 하면 모든 불행을 피할 수 있는지 알았노라. 제자들아."

4. Kiam Majstro Zeng estis malsana, Meng Jing iris viziti lin. Zeng diris: "Kiam birdo estas mortanta, ĝiaj kantoj estas malgajaj; kiam homo estas mortanta, liaj vortoj estas afablaj. En sia konduto la altrangulo devas konsideri aparte gravaj la jenajn principojn: Li seriozigu sian sintenon por esti libera de krudeco kaj malrespekto; li sincerigu sian mienon por ĝui alies konfidon; kaj li afabligu sian parolon por eviti malĝentilaĵojn kaj malagrablaĵojn. Koncerne tiajn aferojn, kiaj estas la detaloj de oferado, lasu specialajn taskitojn zorgi pri ili."

증자가 병이 위중할 때에 맹경자가 문병을 하였더니 증자가 이르기를, "새가 장차 죽으려고 할 때에는 그 울음이 슬프고 사람이 장차 죽으려고 할 때에는 그 말이 착한 것이다. 군자가 행동할 때 다음 원칙을 특히 중요하게 고려해야 하니 몸을 움직임에는 사납고 거만함을 멀리하고 얼굴빛을 바르게 함에는 믿음직하게 하고 무례함과 불쾌감을 피하기 위해 말을 부드럽게 해야 할 것이니 그밖에 제사를 차리는 것 같은 소소한 일은 유사를 두어 하게 둘 것이다."

5. Majstro Zeng diris: "Esti dotita per kapablo, kaj

tamen modeste meti demandojn al tiuj, kiuj estas nekapablaj; posedi multajn sciojn, kaj tamen meti demandojn al tiuj, kiuj posedas malmultajn; havi, kvazaŭ li ne havus ; esti plena, kvazaŭ li estus malplena; esti ofendita, kaj tamen esti pardonema - Jen la manieroj, en kiuj kondutis unu el miaj antaŭaj amikoj."

증자가 말하기를, "능하면서도 능치 못한 자에게 물으며 지식이 많으면서도 적은 이에게 물으며 있으되 없는 것 같이 하고 차있으되 빈 것 같이 하며 화가 나도 용서하라. - 이것이 내 벗이 행동한 방식이니라."

6. Majstro Zeng diris: "Se troviĝas persono, al kiu oni povas konfidi junan orfan regnestridon kaj komisii la aŭtoritaton super regno de cent li-oj, kaj kiun nenio povas fleksi en kriza momento de vivo aŭ morto: - ĉu tia homo estas noblulo? Li vere estas noblulo."

증자가 말하기를, "어린 고아왕을 믿고 백리왕국의 권세를 맡고, 생사의 위기에 그 무엇도 굽힐 수 없는 사람이라면 그는 군자일까? 참으로 군자일 것이다." 라고 하셨다.

7. Majstro Zeng diris: "La klerulo ne devas malhavi grandanimecon kaj firman volon. Lia ŝarĝo estas peza kaj lia vojo estas longa. Li prenas la realigon de la perfekta virto kiel sian taskon; - ĉu lia ŝarĝo ne estas peza? Nur kun morto lia vojiro ĉesas; - ĉu lia vojo ne estas longa?"

증자가 말하기를, "선비는 마음이 넓고 뜻이 굳세야 할 것이니 그 책임은 무겁고 길은 멀다. 어짐을 자기의 일로 삼아야 하니 무겁지 아니한가? 죽은 뒤에야 그만둘 것이니 멀지 아니한가." 고 하였다.

8. La Majstro diris: "La Poemoj inspiras min; la decreguloj firme starigas min; kaj la muziko perfektigas min."
공자 말씀하시기를, "시는 나에게 영감을 주고, 예는 나를 확고하게 세우고, 음악은 나를 완벽하게 한다." 고 하셨다.

9. La Majstro diris: "Ni povas igi la ordinaran popolon sekvi nian vojon, sed ne povas igi ilin scii la kialon."
공자 말씀하시기를, "백성은 따르게는 할 수 있지만 원리를 백성마다 알게 할 수는 없다." 고 하셨다.

10. La Majstro diris: "La homo, kiu estas aŭdaca kaj malkontenta pri malriĉeco, emas fari malordon. Tian emon havas ankaŭ la homo nevirta, kiam vi havas troan abomenon kontraŭ li."
공자 말씀하시기를, "담대하고 가난함을 싫어하면 반드시 난을 일으킬 것이요, 무덕한 사람을 지나치게 혐오할 때 이런 경향이 있다." 고 하셨다

11. La Majstro diris: "Kvankam iu havas kapablojn admirindajn kiaj tiuj de la duko de Zhou, tamen se li estas fiera kaj avara, la ceteraj kvalitoj de li ne meritas konsideron."
공자 말씀하시기를, "설령 주공과 같은 재질의 아름다움을 가지고도, 교만하고 인색하다면 그 재주 외에는 아무것도 볼 것이 없을 것이다." 고 하셨다.

12. La Majstro diris: "Estas malfacile trovi homon studas tri jarojn ne pensante pri enoficiĝo en registaro."

공자 말씀하시기를, "삼 년을 배우고도, 녹봉에 뜻이 이르지 아니하는 이를 쉽게 보지 못하겠다." 고 하셨다.

13. La Majstro diris: "Havu firman kredon, amu lernadon kaj, se necesas, estu preta morti por la bona doktrino. Ne eniru en regnon, kiu sekvas danĝeran politikon, nek loĝu en regno malordigita. Kiam ĝustaj principoj venkas, vi vin montru; kiam ili senfortiĝas, vi vin kaŝu. Kiam la lando estas bone regata, kalkulu malriĉecon kaj malaltan situacion kiel hontindaĵojn; kiam la lando estas malbone regata, kalkulu riĉecon kaj honoron kiel hontindaĵojn."

공자 말씀하시기를, "독실하게 믿고 배우기를 좋아하며, 필요하다면 좋은 도를 위해 죽을 각오를 하라. 위태로운 나라에는 들어가지 아니하고 어지러운 나라에는 살지 않으며 천하에 도가 있으면 나가고 도가 없으면 숨을 것이다. 나라에 도가 있는데도 가난하고 천한 것은 부끄러운 것이고 나라에 도가 없는데도 부유하고 귀한 것은 부끄러운 것이다." 라고 하셨다.

14. La Majstro diris: "Tiu, kiu ne okupas tiun postenon, ne enmiksiĝas en ĝiajn administrajn aferojn."

공자 말씀하시기를, "그 지위에 있지 아니하면 그 정사를 이러쿵저러쿵 논의해서는 안 된다." 고 하셨다.

15. La Majstro diris: "De la komenco de la muziko ludata de la muzikmajstro Zhi ĝis Guan Ju, kiu estis ĉe

la fino, miaj oreloj estis plenplenaj de belaj harmoniaj sonoj."

공자 말씀하시기를, "태사 지가 연주하는 음악의 시작부터 마지막인 관주까지, 내 귓가에는 아름다운 조화로운 소리가 가득하구나." 라고 하셨다.

16. La Majstro diris: "Fervorega kaj tamen ne honesta, naiva kaj tamen ne senruza, sinceraspekta kaj tamen ne fidinda - tian personon mi ne komprenas."

공자 말씀하시기를, "함부로 날뛰면서 솔직하지 않고, 무식하면서 착실하지 않으며, 성실한 듯 하지만 미쁘지 못한 사람을 나는 이해하지 못한다." 고 하셨다.

17. La Majstro diris: "Lernu tiamaniere, kvazaŭ vi ne povus atingi vian celon kaj ĉiam timus perdi tion, kio estas jam akirita."

공자 말씀하시기를, "배우되 목적에 이르지 못하는 것같이 하며, 배운 것을 놓칠까 두려워하라." 고 하셨다.

18. La Majstro diris: "Kiel majesta estis la maniero, en kiu Shun kaj Yu regis la landon! Kiel suverenoj ili dediĉis sian tuton al la bono de la popolo."

공자 말씀하시기를, "순임금과 우임금이 그 땅을 다스린 방식은 얼마나 위엄이 있는가! 주권자로서 그들은 백성의 선익을 위해 모든 것을 바쳤다." 고 하셨다.

19. La Majstro diris: "Granda ja estis Yao kiel suvereno! Kiel majesta li estis! Nur Ĉielo estis plejalta, kaj nur Yao povis sekvi ĝian ekzemplon. Kiel vasta

estis lia favoro! La popolo neniel povis trovi ĝustajn vortojn por lin laŭdi. Kiel majesta estis li en la verkoj, kiujn li kreis! Kaj kiel glora estis li en la eleganta ritaro, kiun li iniciatis !"

공자 말씀하시기를, "위대하도다, 요의 임금되심이여, 얼마나 위엄이 있는가, 높음은 오직 하늘이 큰 것인데 다만 요임금께서 본받으셨으니, 그 공덕이 너무 넓어 백성들이 능히 무어라 칭송할 마땅한 말을 찾지 못하는구나. 창조한 작품에서 얼마나 위엄이 있는가. 정말로 찬란하도다 그가 만든 우아한 의식이여!" 라고 하셨다.

20. Shun havis kvin eminentajn ministrojn, kaj la lando estis bone regata. Reĝo Wu diris: "Mi havas dek kapablajn ministrojn, kiuj helpas al mi regi la landon." Konfuceo diris: "Proverbo diras: Talentuloj estas malfacile troveblaj. Ĉu ĝi ne estas vera? Post Tang- kaj Yu-epokoj, talentuloj estis plej abundaj en la tempo de Reĝo Wu, tamen inter ili troviĝis unu virino. Efektive estis nur naŭ eminentaj ministroj. Reĝo Wen posedis du trionojn de la lando, tamen li daŭre vasalis al Yin dinastio. Lia virto, oni povas diri, ja atingis la perfektecon."

순임금이 어진 신하 다섯 사람을 두심에 천하가 다스려졌다. 무왕이 말씀하시기를, "나는 다스리는 신하 열 사람을 두었노라." 고 하거늘 공자 말씀하시기를, "옛 말에 '인재 얻기가 어렵다' 고 했으니 그렇지 않겠는가. 당우의 시대가 가장 많았고, 무왕의 때에는 열 사람 중 부인이 있으니 실제로 아홉 사람이 있을 뿐이다. 문왕은 천하를 삼분하여 그 둘을 가지고도 상나라를 섬겼으니 문왕의 덕이야말로 지극한 덕이라고 이를 뿐이다." 고 하셨다.

21. La Majstro diris: "Mi povas trovi nenion neperfektan en la moralaj ecoj de Yu. Li mem nutris sin per simplaj manĝaĵoj, sed li oferis abundajn bongustaĵojn al la spiritoj. Liaj ĉiutagaj vestoj estis tre malbonaj, sed li vestis sin luksege dum la oferadoj. Li vivis en domo tre modesta, sed li dediĉis sian tutan forton al la konstruado de irigaci- kaj dren-sistemoj. Mi povas trovi nenion neperfektan en Yu."

공자 말씀하시기를, "우는 내가 흠잡을 수 없구나! 음식을 간소하게 하시되 귀신을 제사함에는 효성을 다하고, 평소의 의복은 허술하게 하시되, 제례의 의관은 화려하게 하고, 궁전은 조촐하게 꾸몄지만 백성을 위한 치수사업에는 온 힘을 다하셨으니 우는 내가 흠잡을 수 없도다." 라고 하셨다.

ĈAPITRO IX ZI HAN 제9장 자한

1. La Majstro malofte parolis pri profito, la volo de Ĉielo kaj perfekta virto.
공자께서는 이익과 하늘의 뜻과 완전한 덕에 대하여 드물게 말씀하셨다.

2. Iu en Daxiang diris: "Granda ja estas Konfuceo! Liaj scioj estas vastaj, sed bedaŭrinde li ne havas specialan kapablon, per kiu li povus sin famigi." Aŭdinte pri tio, la Majstro diris al siaj disĉiploj: "Pri kio do mi min okupu? Ĉu pri ĉaro-veturigo? Ĉu pri arkpafado? Mi do min okupu pri ĉaro-veturigo."
달항 마을 사람이 말하기를, "크도다, 공자시여. 널리 배웠지만 한 가지도 드러난 이름이 없도다." 고 했다. 공자께서 들으시고, 제자들에게 이르기를, "내가 무엇을 잡을 것인가? 말고삐를 잡을 것인가? 활을 잡을 것인가? 나는 말고삐를 잡으리라." 고 하셨다.

3. La Majstro diris: "Laŭ la ceremoniaj reguloj la ceremonia ĉapo devus esti farita el kanabtolo, sed nun oni portas la silkan anstataŭe. Tio estas pliĝpara, kaj mi sekvas la ĝeneralan kutimon. La ceremoniaj reguloj preskribas, ke oni riverencu malsupre de la perono de la palaco kaj ankaŭ antaŭ la trono, sed nun oni riverencas nur antaŭ la trono post eniro en la palacan ĉambregon. Tio estas arogantaĵo. Mi preferas riverenci malsupre de la perono kaj ankaŭ antaŭ la trono, kvankam tio ne estas konforma al la nuna ĝenerala kutimo."

공자 말씀하시기를, "삼으로 짠 관을 쓰는 것이 옛날 예이지만 지금 와서는 비단으로 대신하니 검소함이라 나도 일반적인 관습을 따르리라. 신하가 궁의 단 아래와 왕좌 앞에서 절을 하지만, 지금은 궁궐에 들어간 후에는 왕좌 앞에서만 절을 하니 이는 거만하다. 현재의 일반적인 관습에 맞지는 않지만 나는 궁의 단 아래와 왕좌 앞에서 절을 하겠다." 고 하셨다.

4. La Majstro estis tute libera de la kvar mankoj: Li faris nenian konjekton, nek absolutan jesigon; li neniam obstinis, nek opiniis sin ĉiam prava.
공자께서는 네 가지 결점에서 완전히 자유로웠는데, 추측이나 절대적인 확증을 하지 않았고, 결코 완고하거나 항상 자기만 옳다고 생각하지도 않으셨다.

5. Kiam la Majstro estis retenita en Kuang, li diris : "Post la morto de Reĝo Wen, ĉu la kulturo ne konserviĝas ĉi tie ĉe mi? Se Ĉielo vere intencus pereigi la kulturon, tiam mi, mortema homo, ne devus havi rilaton al ĝi. Kaj se Ĉielo ne intencas pereigi la kulturon, kion do la popolo de Kuang povas fari kun mi?"
공자께서 광에서 경계할 일이 있었는데 공자 말씀하시기를, "문왕이 이미 돌아가셨으니 예악문물이 이제 나에게 있지 아니하느냐. 하늘이 장차 이 문을 없애려면 뒤에 죽을 내가 이 문에 간여하지 않았을 것이어니와 하늘이 이 문을 없애지 않으시니 광 땅의 사람이 나에게 어찌 하겠는가." 라고 하셨다.

6. Iu altranga regna oficisto demandis Zigong: "Ĉu via Majstro estas sankta saĝulo? Kial li estas kapabla je

tiom multe da aferoj?" Zigong respondis: "Estas ĉielo, kiu faris lin saĝa kaj kapabla je diversaj aferoj."

Aŭdinte pri tio, la Majstro diris: "Kiel tiu altranga regna oficisto povus min koni? Kiam mi estis juna, mi estis malriĉa, kaj tial mi akiris al mi la kapablon fari multajn praktikajn aferojn. Ĉu klerulo en la vera senco de la vorto povus havi tian diversecon de kapablo? Certe ne!"

왕실의 고위 관리가 자공에게 묻기를, "선생님께서는 성인이신가? 어찌 그렇게 능한 것이 많습니까." 라고 하셨다. 자공이 대답하시기를, "선생님께서는 진실로 하늘이 내리신 측량할 수 없는 성인이시라. 또한 재능도 많을 것이다." 고 하였다. 공자께서 들으시고 말씀하시기를, "왕실의 고위 관리가 나를 아는구나, 내가 젊었을 때에 지위가 천했다. 그래서 천한 일에 아주 능하였다. 군자는 재능이 많아야 되는가, 많지 않아도 되느니라." 고 하셨다.

7. Lao diris: "La Majstro diris: 'ĉar mi ne estis dungita kiel regna oficisto, mi ellernis multajn artojn.'
뇌가 말하기를, "선생님께서 말씀하시기를 '내가 세상에 쓰이지 못했다. 그래서 여러 가지 기예를 익혔다.' 고 하신 적이 있었다." 고 했다.

8. La Majstro diris: "Ĉu mi rigardis min kiel posedanton de scioj? Ne. Sed se eĉ simpla terkulturisto venas kaj demandas min pri iu afero, kiun mi tute ne scias, mi estas preta funde esplori la aferon kun ĉiuj ĝiaj 'por' kaj "kontraŭ" kaj laŭeble klarigi ĝin al li."
공자 말씀하시기를, "내가 나를 지식의 소유자로 여겼느냐? 아니다. 하지만 단순한 농사꾼이 와서 내가 전혀 모르는 것을 묻는다면 찬반 양론을 모두 포함하여 철저히 조사하고 최선을 다해 설명할 준비가 되어 있었다." 고 하셨다.

9. La Majstro diris: "La Feng-birdo ne alflugas, la Rivero ne aperigas Ok Diagramojn jam restas al mi nenia espero!"
공자 말씀하시기를, "봉새는 날지 아니하고 강에서는 팔도가 나오지 아니하니 나에게 희망이 없구나!" 라고 하셨다.

10. Kiam la Majstro vidis personon en funebra kostumo, aŭ iun en ceremoniaj ĉapo kaj vesto, aŭ blindulon, kvankam tiu estis pli juna ol li, li ĉiam stariĝis, kaj se li devis preterpasi tiun, li ĉiam rapidigis siajn paŝojn.
공자께서 상복을 입은 자와 면류관을 쓰고 의상을 입은 자와 소경을 만날 때에는 그들이 더 젊을지라도 반드시 일어나시며, 옆으로 지나칠 때에는 반드시 빠른 걸음으로 지나셨다.

11. Yan Yuan, kun admiro al la Majstro pri liaj doktrinoj, diris: "Ju pli supren mi levas miajn rigardojn al ili, des pli altaj ili ŝajnas fariĝi; ju pli mi penas trapenetri ilin, des pli firmaj ili ŝajnas fariĝi; mi vidas, ke ili estas antaŭ mi, kaj subite ili ŝajnas esti malantaŭe. La Majstro pacience gvidas homojn paŝo post paŝo sur la vojo de lernado. Li pliklerigas mian menson per vasta literaturo kaj bridas mian konduton per la decreguloj. Kaj eĉ se mi dezirus ĉesi studi liajn doktrinojn, mi ne povus tion fari ĝis la elĉerpiĝo de mia tuta forto. Ŝajnas, ke antaŭ mi staras io altega;

sed, kvankam mi deziras ĝin sur grimpi, mi trovas neniun vojon al ĝia supro."

안연이 길이 탄식하여 말하기를, "선생님의 도는 우러러볼수록 더욱 높으며, 뚫어볼수록 더욱 굳으며, 바라볼 때에 앞에 계시더니 홀연히 뒤에 계시다. 선생님께서 참을성 있게 사람을 잘 지도하시고, 글로써 나를 넓혀주시고, 예로써 나를 제약하시니, 파하고자 해도 능히 못하며, 이미 나의 재주를 다하였는데 무엇인지 앞에 우뚝 섰으니 비록 좇고자 하나 말미암지 못하였다." 고 했다.

12. Kiam la Majstro estis serioze malsana, Zilu deziris, ke oni faru preparojn por grandiozaj funebraĵoj. Post mildiĝo de sia malsano la Majstro diris: "Jam longe daŭras la trompa konduto de You! Kiun mi trompus per pretendo pri grandiozaj funebraĵoj, kiujn mi ne meritas? Ĉu mi trompus Ĉielon? Cetere, mi preferus morti en la manoj de vi, miaj disciploj, ol en la manoj de preparantoj de funebraĵoj. Kaj eĉ se mi ne povos esti solene enterigita, ĉu eblos al mi morti sur la vojo?"

공자께서 병환이 위중하실 때 자로가 큰 장례 준비를 하기 원했다. 병이 조금 나으심에 말씀하시기를, "오래되었구나, 자로가 속임을 행함이여, 나에게 합당하지 않은 장엄한 장례를 요구하여 누구를 속이겠는가? 내가 하늘을 속일 것인가? 더욱이 나는 장례를 준비하는 자들의 손에 죽느니 차라리 내 제자인 너희의 손에 죽기를 원하노라. 또 내가 비록 크게 장례는 못하더라도 길에서야 죽겠느냐." 라고 하셨다.

13. Zigong diris: "Ĉi tie estas peco da bela jado. Ĉu mi metu ĝin en keston kaj konservu ĝin, aŭ mi serĉu

iun jad-konanton kaj ĝin vendu?" La Majstro diris: "Vendu ĝin! Vendu ĝin! Mi atendas iun jad-konanton.

자공이 말하기를, "아름다운 옥이 여기에 있다면 함 속에 감추어 두겠습니까? 옥을 아는 사람을 찾아 좋은 값을 받고 팔겠습니까?" 하니 공자님이 말씀하시기를, "팔아야지, 팔아야지, 옥을 아는 사람을 기다리겠다." 고 하셨다

14. La Majstro deziris transloĝiĝi al loko loĝata de la naŭ sovaĝaj triboj de la oriento. Iu diris: "Ili estas krudaj. Kiel vi povas fari tian aferon?" La Majstro diris: "Se noblulo loĝus tie, kia krudeco povus resti tie?"

공자께서 아홉 개의 오랑캐 나라가 있는 동방에 옮겨 살고자 하셨더니, 어떤 사람이 말하기를, "누추하다는데 어떻게 그러하실 수 있겠습니까?" 고 하니 공자 말씀하시기를, "군자가 거하니 무슨 누추함이 있겠느냐?" 라고 하셨다.

15. La Majstro diris: "Post kiam mi revenis de Wei-regno al Lu-regno, mi reformis la muzikon, por ke la pecoj en la Kortegaj Kantoj kaj Oferceremoniaj Kantoj ĉiu trovu sian ĝustan lokon."

공자 말씀하시기를, "내가 위나라로부터 노나라로 돌아온 후에 음악을 개선하여 아악과 송악이 각각 그 일정한 위치를 얻게 되었다." 고 하셨다.

16. La Majstro diris: "Ekstere, servi al la princo kaj liaj ministroj; hejme, servi al siaj gepatroj kaj pli aĝaj fratoj; rilate al funebraĵoj, ne kuraĝi ne fari sian plejeblon; kaj ne esti venkita de vino - kiun el ĉi tiuj aferoj mi jam bone plenumas?"

공자 말씀하시기를, "밖에 나아가면 공과 경을 섬기고 들어오면 부모와 형을 섬기고 장례를 당하면 정성을 다하고 술을 마시더라도 실수를 않는 것, 이 무엇 하나 이미 잘 하고 있구나." 라고 하셨다.

17. Starante ĉe rivero, la Majstro diris: "La tempo pasas kaj pasas, kiel la akvo en ĉi tiu rivero, kiu senĉese fluas tage kaj nokte!"
공자가 강 가에 계시면서 말씀하시기를, "이 강의 물처럼 시간이 가고, 낮과 밤을 쉬지 않는구나!" 라고 하셨다.

18. La Majstro diris: "Mi neniam vidis homon, kiu amus virton kiel belecon."
공자 말씀하시기를, "내가 덕을 좋아하기를 이성을 좋아하는 것과 같이 하는 사람을 보지 못했다." 고 하셨다.

19. La Majstro diris: "La lernado povas esti komparata kun teramasigo. Se nur per unu plia korbo da tero mi povus fini la laboron kaj tamen mi ĉesas tion fari, la fakto estas, ke mi mem ĉesas. Ĝi povas esti komparata ankaŭ kun ebenigo de grundo per terĵeto. Kvankam ĉiun fojon nur unu korbo da tero estas ĵetita, tamen la fakto estas, ke mi ja progresigas la ebenigadon."
공자 말씀하시기를, "배움은 토지 매설에 비유될 수 있다. 한 삼태기 흙만 더 있으면 일을 끝낼 수 있는데도 그만둔다면, 사실은 내가 그치는 것이다. 비유컨대 땅을 평평하게 함에 비록 한 삼태기 흙을 덮더라도 사실은 내가 나아가는 것이다." 고 하셨다.

20. La Majstro diris: "Tiu, kiu neniam laciĝas de aŭskultado de miaj instruoj, estas neniu alia ol Hui?.."

공자 말씀하시기를, "내 가르침을 들어도 지치지 않는 사람은 다름 아닌 안회일 것인저." 라고 하셨다.

21. La Majstro diris pri Yan Yuan : "Kiel bedaŭrinda estas lia morto! Mi vidis lian konstantan progresadon. Mi neniam vidis lian halton.'
공자께서 안연을 일러 말씀하시기를, "그의 죽음은 너무나 아깝도다! 나는 그 학문이 나아가는 것을 보았으나 그가 중도에서 그치는 것을 보지 못하였다." 고 하셨다.

22. La Majstro diris: "Estas plantidoj, kiuj elkreskas, sed ne floras; estas plantidoj, kiuj elkreskas kaj floras, sed ne donas fruktojn."
공자 말씀하시기를, "싹이 나고 꽃이 못피는 것도 있고, 싹이 나서 꽃은 피었으나 열매를 맺지 못하는 것도 있는 것인저." 라고 하셨다.

23. La Majstro diris: "La junulo estas timinda. Kiel do ni povas scii, ke lia estonteco ne estos egala al la nia? Se li atingos la aĝon de kvardek aŭ kvindek jaroj sen distingiĝo, tiam li ne meritos esti timinda."
공자 말씀하시기를, "후생이 두려운 것이니, 어찌 오는 자가 지금 사람만 같지 못하다는 것을 알겠는가? 사십이나 오십이 되어서도 아직 세상에 들림이 없다면, 두려워할만한 가치가 없을 것이다." 라고 하셨다.

24. La Majstro diris: "Ĉu homoj povas rifuzi la vortojn de severa admono? Sed tio, kio valoras, estas korekti sian konduton. Ĉu homoj povas ne ĝojiĝi aŭdinte vortojn obeajn kaj flatajn? Sed tio, kio valoras, estas

fari analizon al ili. Se iu ĝojigas pro tiuj ĉi vortoj sen fari analizon kaj akceptas alies admonon sen korekti sian konduton, mi ja povas fari nenion kontraŭ li."

공자 말씀하시기를, "바르게 깨우쳐 주는 말을 능히 좇지 않겠는 가마는 고치는 것이 귀한 것이며, 순종하고 칭찬하는 말이 능히 기쁘지 않으리오마는 그것들을 분석하는 것이 귀한 것이다. 기뻐하되 분석하지 아니하고 따르되 고치지 아니 하면 나는 그를 상대로 아무것도 할 수 없다." 고 하셨다.

25. La Majstro diris: "Tenu fidelecon kaj sincerecon kiel unuajn principojn. Ne amikiĝu kun tiuj, kiuj estas malpli bonaj ol vi. Se vi faris erarojn, tiam ne timu ilin korekti."

공자 말씀하시기를, "충성과 믿음을 주로 하고, 자기만 못한 자를 벗하지 말고, 허물이 있으면 고치기를 꺼리지 말라." 고 하셨다.

26. La Majstro diris: "La komandanto povas esti kaptita for de sia armeo, sed la volo de eĉ ordinara homo ne povas esti prenita for de li."

공자 말씀하시기를, "지휘관은 자기 군대에서 사로잡힐 수 있으나 필부의 뜻만은 빼앗을 수 없다." 고 하셨다.

27. La Majstro diris: "Tiu, kiu ne sentas honton starante en ĉifona vatita robo ĉe la flanko de homoj vestitaj per peltaĵoj, probable estas neniu alia ol You. Li estas nek envia, nek avida; kial li la prosperon ne atingas ?" " Ĉi tiujn vortojn el «Libro de Poezio» Zilu konstante ripetis. La Majstro diris: "Kiel do oni povus atingi prosperon nur per tio ĉi?"

공자 말씀하시기를, "해어진 무명옷과 도포를 입고, 여우와 이리의 털로 만든 갖옷을 입은 자와 같이 서되, 부끄러워하지 아니하는 자는 아마도 자로일 것이다. 남의 부귀를 시기하지 아니하며 탐내지 아니하면 어찌 번영을 누리지 아니하겠느냐." 고 하셨다. 자로가 〈시경〉의 이 말씀을 항상 외웠더니 공자 말씀하시기를, "그렇다면 이것으로만 어떻게 번영할 수 있다고 하겠는가." 라고 하셨다.

28. La Majstro diris: "Frostiĝas, kaj mi ekscias, ke la pinoj kaj cipresoj perdas siajn foliojn la lastaj. "
공자 말씀하시기를, "추워진 뒤에야 소나무와 잣나무가 나중에 시들게 되는 것을 알게 된다." 고 하셨다.

29. La Majstro diris: "La saĝuloj estas liberaj de perplekseco; la virtuloj de maltrankvilo; kaj la kuraĝuloj de timo."
공자 말씀하시기를, "지혜로운 자는 미혹되지 아니하고 어진 자는 근심하지 아니하며 용맹한 자는 두려워하지 아니한다." 고 하셨다.

30. La Majstro diris: "Troviĝas homo, kun kiu oni povas kune studi, sed ne povas kune progresi. Troviĝas homo, kun kiu oni povas kune progresi, sed ne povas kune sin teni je la decreguloj. Troviĝas homo, kun kiu oni povas kune sin teni je la decreguloj, sed ne povas kune adapti sin al la ŝanĝiĝantaj cirkonstancoj."
공자 말씀하시기를, "같이 학문을 할 수 있다고 하더라도 함께 발전할 수 없고 함께 발전할 수는 있으나 예의범절을 함께 지킬 수는 없으며 예의범절을 함께 지킬 수도 있으나 변화하는 상황에 함께 적응할 수 없다." 고 하셨다.

31. La floraj branĉoj de l' sovaĝa pruno,
Kiel gracie ili sin balancas!
Ne ĉar mi forte al vi ne sopiras,
Sed ĉar tre fore vi de mi distancas.
La Majstro komentis: "Fakte li ne sopiras al ŝi. Se li
vere sopirus, la distanco estus por li nenio.
야생 매화의 꽃 가지,
얼마나 우아하게 흔들리는가!
당신을 그리워하지 않아서가 아니라,
하지만 당신은 나에게서 너무 멀리 떨어져 있기 때문입니다.
공자 말씀하시기를, "사실 그는 그녀를 그리워하지 않는다. 그가
진정으로 갈망했다면 어찌 멀다고 하겠는가." 라고 하셨다.

ĈAPITRO X XIANG DANG 제10장 향당

1. Konfuceo, en sia hejmloko, estis milda, afabla kaj kvazaŭ mallerta en parolo.
Kiam li estis en la templo al la prapatroj aŭ en la princa palaco, li parolis klare kaj flue, sed diskrete.
공자께서 향당에 계시면 부드럽고 상냥하며 말씀에 눌한 사람 같았다. 종묘와 조정에 계실 때에는 분명히 말씀하시되 삼가셨다.

2. Kiam la Majstro atendis la princon en lia palaco, parolante kun regnaj oficistoj de la malpli alta rango, li aspektis milde kaj ĝoje; parolante kun la pli altaj regnaj oficistoj, li aspektis honeste kaj respekte. Kiam la princo alestis, li aspektis respekte kaj iom maltrankvile, kaj lia paŝado estis senhasta kaj firma.
공자가 궁에서 왕자를 기다리며 하급 신하들과 이야기할 때 온화하고 즐거워 보였다. 고위 관리들과 이야기할 때 정직하고 공손해 보였다. 임금 앞에서는 지극히 공경하며 조금 불안해 보였고 그의 발걸음은 서두르지 않고 확고했다.

3. Kiam la princo alvokis la Majstron, por komisii al li akcepti gaston el alia regno, lia mieno serioziĝis kaj lia paŝado plirapidiĝis. Kiam li salutadis per kunigitaj manoj la regnajn oficistojn, kiuj staris dekstre kaj maldekstre de li, la baskoj de lia robo flirtadis jen antaŭen, jen malantaŭen, en bonordo. Li iris per rapidaj paŝoj, kun siaj brakoj kiel disetenditaj flugiloj de birdo. Post kiam la gasto foriris, li nepre tuj raportis al la princo: "La gasto, dirinte adiaŭ, jam estas

for."

임금이 불러 국빈을 대접하게 하시면, 얼굴빛을 긴장하시며 걸음도 빨라졌다. 좌우편에 선 손님을 손을 합장해서 읍하시되 옷의 앞과 뒤는 가지런하였다. 빨리 나아가심에 날개를 편 듯하셨다. 손이 물러간 뒤에는 반드시 복명하시기를, "손님이 작별인사하고 잘 갔습니다." 라고 하셨다.

4. Kiam la Majstro eniris tra la pordego de la princa palaco, li aspektis time kaj singarde, kvazaŭ la pordego ne estus sufiĉe granda, por ke li povu ĝin trapaŝi.

Kiam li staris, li ne okupis la mezon de la pordego; kiam li transpaŝis, li ne piede tuŝis la sojlon.

Kiam li preterpaŝis la vakan seĝon de la princo, lia mieno serioziĝis, liaj paŝoj plirapidiĝis, kaj liaj vortoj estis tiel mallaŭtaj, kvazaŭ li havus apenaŭ sufiĉan spiron por ilin eldiri.

Kiam li, tenante supren la baskon de sia robo per ambaŭ manoj, supreniris al la princo, li aspektis respekte kaj singarde, kaj li tiel retenis la spiradon, kvazaŭ ĝi jam haltus.

Post kiam li eliris el la aŭdienchalo, apenaŭ li malsupreniris unu ŝtupon, lia vizaĝo sereniĝis kaj li ekhavis kontentan mienon.

Alveninte al la malsupro de la perono, li iris antaŭen per rapidaj paŝoj, kun siaj brakoj kiel disetenditaj flugiloj de birdo. Post kiam li revenis al sia loko, lia aspekto ankoraŭ montris respekton kaj maltrankvilon.

대궐 문에 들어가실 때에는 마치 자신이 지나갈 수 있을 만큼 문이 크지 않은 듯 두렵고 조심스러운 표정을 지었다.

서실 때에는 문 가운데 서지 아니하시고, 행하실 적에는 문지방을 밟지 아니하셨다.

임금이 서는 자리를 지날 때는, 표정이 진지해지고 걸음이 빨라졌다. 말씀을 하기에 숨이 막히는 것처럼 말소리는 너무 작으셨다.

양손으로 옷자락을 거머잡고 당에 오르실 때, 공경하고 조심스러워 기운을 감추시어 숨도 쉬지 않는 것같이 하셨다.

나오시어 섬돌 한 층계를 내려서는 얼굴빛을 푸시고 온화하고 기뻐하시며, 층계를 다 내려서서는 빨리 나아가시되 날개를 편 듯하시며, 그 자리에 돌아와서는 여전히 황송해 하셨다.

5. Kiam la Majstro partoprenis kiel sendito en kortega ceremonio de alia regno, tenante sian gui-on en la manoj, li sin klinis respekte kaj singarde, kvazaŭ li ne havus sufiĉan forton por porti ĝin. Levante ĝin, li havis teniĝon kvazaŭ de saluto per kunigitaj manoj; mallevante ĝin, li kvazaŭ intencis doni ĝin al alia. Lia mieno estis serioza kvazaŭ en milito, kaj liaj paŝoj estis malgrandaj, kvazaŭ li irus laŭ linio.

Dum prezentado de donacoj li havis afablan mienon.

Ĉe sia privata aŭdienco li montris sin senĝena kaj ĝoja.

공자는 다른 나라의 궁중 예식에 사신으로 참석할 때 규를 손에 들고 마치 그것을 들 힘이 없다는 듯 공손하고 정중하게 절을 하시고, 올리실 때는 읍하시듯이 하시며, 내리실 때에는 물건을 주는 것같이 하시고, 표정은 마치 전쟁터처럼 진지했고, 마치 선을 따라 걷고 있는 것처럼 걸음을 좁게 자주 떼셨다.

예물을 드리실 때에는 얼굴빛을 펴시며, 개인적으로 회견할 때에는 더욱 화기가 돋우셨다.

6. Noblulo ne uzis la koloron nigreruĝan nek la ruĝenigran por la borderoj de sia kostumo. En sia hejmo li portis nenion de koloro ruĝa aŭ purpura.

En varmaj tagoj li surhavis sensubŝtofan veston el kruda aŭ fajna kanabtolo, sed ĝi nepre estis portata sur subvesto por esti videbla.

Sur ŝafida peltaĵo li portis nigran superveston; sur cervida peltaĵo blankan; kaj sur vulpa peltaĵo flavan.

La pelta jako portata hejme estis longa, kun la dekstra maniko mallonga.

Li postulis, ke lia litkovrilo estu duonoble pli longa ol lia korpo.

En sia hejmo li uzis dikan pelton vulpan aŭ melan kiel sidkusenon.

Post kiam pasis la tempo de funebro, li portis diversajn ornamaĵojn.

Lia jupoforma malsupra vesto, kiu ne estis destinita por la okazoj de kortega kaj ofera ceremonioj, estis farita el unupeca tuko, kies superflua parto nepre devis esti fortondita.

Li ne portis nigran ŝafidan peltaĵon nek nigran ĉapon ĉe kondolenca vizito.

En la unua tago de ĉiu monato li nepre metis sur sin sian kortegan robon kaj faris viziton al la princo en lia palaco.

군자는 보라색이나 붉은 색으로 옷깃을 장식하지 아니하시며, 붉은 빛과 자주 빛으로 속옷을 만들지 아니하셨다.

더울 때를 당하여는 고운 베나 거친 베옷 반드시 껴입고 나가셨다.

검은 옷에는 양 갓옷이요, 흰 옷에는 사슴 갓옷이요, 누런 옷에는 여우 갓옷을 입으셨다.

평시에 입는 갓옷은 길게 하되, 오른 소매를 짧게 하시었다.

담요는 키의 한 배 반 크기를 요구했다.

여우와 오소리 털로 방석을 삼고 사시었다.

장례 기간이 지나야 패물을 차셨다.

조회와 제례의 예복이 아니면 치마 모양의 하의는 한 장의 천으로 만들어졌고, 불필요한 부분은 잘라내야 했다.

양의 검은 갓옷과 검은 관으로 조상하지 아니하셨다.

매달 초하루에는 반드시 조복을 입고, 궁에서 임금을 뵈시었다.

7. Sin banante por fastado, oni nepre portis banrobon el kanaba tolo.

Dum fastado li nepre ŝanĝis sian nutraĵon kaj ankaŭ sian dormoĉambron.

재계하실 때에는 반드시 베로 만든 깨끗한 옷을 가지고, 반드시 음식과 잠자리를 바꾸셨다.

8. Oni ne malŝatas la grenon sufiĉe senbranigitan, nek la viandon sufiĉe haketitan.

Li ne manĝis grenon ŝiman, nek viandon putran. Li ne manĝis manĝaĵon alikoloriĝintan, nek malbonodoran, nek malbone kuiritan, nek prezentitan en nekutima horo. Li ne manĝis viandon, kiu ne estis distranĉita en difinita maniero, nek tion, kio ne estis spicita per difinita saŭco.

Kvankam sur la tablo estis abundo da viando, tamen li manĝis malpli da ĝi, ol da grennutraĵo.

Nur en drinkado li ne limigis sin, sed li ne permesis al

si esti konfuzita de ĝi.

Li ne prenis vinon kaj kuiritan viandon, aĉetitajn en bazaro.

Li neniam estis sen zingibro dum manĝado, sed da ĝi li prenis ne multe.

밥은 정한 것은 싫어하지 않으셨으며, 고기는 가는 것을 싫어하지 않으셨다.

밥이 상하여 쉰 것과 생선이 상하고 고기가 썩은 것을 먹지 아니하시고, 빛이 변한 것을 먹지 아니하시었다. 냄새가 나쁜 것은 먹지 아니하시고, 익지 아니한 것도 먹지 아니하시었고, 때가 아니면 먹지 아니하셨다. 자른 것이 바르지 않으면 먹지 아니하고, 간이 맞지 아니하면 먹지 아니하셨다.

고기를 비록 많이 자시더라도 곡기를 이기지 않게 하시며, 오직 술은 얼마든지 자시더라도 어지러운 지경에 이르지 않으셨다

파는 술과 저자의 포를 먹지 않으셨다.

생강 자시는 것을 끊지 않고 밥은 많이 자시지 아니하셨다.

9. Oni konservis ne ĝis la sekvanta tago la viandon, kiun li ricevis post sia partopreno en oferado fare de la princo. La viandon de sia familia oferado li konservis ne pli ol tri tagojn. Se pli ol tri tagojn, li ĝin ne manĝis.

나라에 제사지낼 때 받은 고기는 밤을 재우지 않으시며, 제사지낸 고기는 삼일을 넘기지 아니하시고 삼일이 지나면 먹지 않으셨다.

10. Dum manĝado oni ne konversaciis. En la lito li ne parolis.

식사중에는 대화하지 않으시고, 침대에서는 말하지 않으셨다.

11. Kvankam la manĝaĵoj estis nur malfajna rizo kaj legoma supo, tamen oni nepre faris oferon per iom da ili. Dum la ofero li nepre estis tiel respektoplena kiel dum fastado.
비록 거친 밥과 나물국이라도 반드시 곡신에게 드렸는데, 반드시 공경히 하셨다.

12. Se la mato estis oblikve metita, sur ĝi oni ne sidis.
자리가 바르게 놓여있지 아니하시면 앉지 않으셨다.

13. Vintrinkinte kun najbaroj, oni ne eldomiĝis antaŭ foriro de ĉiuj maljunuloj.
이웃들과 술을 마신 후, 노인들이 모두 떠날 때까지 집을 떠나지 않았다.

14. Kiam la najbaroj plenumis siajn ceremoniojn por forpeli pestajn influojn, oni en sia kortega robo staris sur la orienta perono.
이웃들이 푸닥거리를 할 때는 조복을 입으시고 동쪽 섬돌에 서 계셨다.

15. Kiam oni petis transdoni sian saluton al sia amiko en alia regno, li dufoje klinsalutis la komisiiton kaj poste lin adiaŭis.
사람을 보내어 다른 나라에 있는 지인의 안부를 부르실 적에는 두 번 절하고 보내셨다.

16. Kiam Ji Kang donacis al la Majstro medikamenton, tiu klinsalutis kaj akceptis ĝin, dirante: "Mi ne konas

ĝian econ. Mi ne kuraĝas ĝin prove preni."

계강자가 약을 나누어 주니 절하고 받으면서 말씀하시기를, "이
약이 어떤 성질을 지니고 있는지 알 수 없으므로 감히 맛보지 못한
다." 고 하셨다.

17. Iun tagon fajro forlekis la ĉevalstalon de Konfuceo.
Reveninte el la princa palaco, li demandis: Ĉu iu
homo brulvundiĝis ?" Li ne demandis pri la ĉevaloj.

마굿간에 불이 났는데 공자께서 조정에서 물러나 오시어 묻기를,
"다친 사람은 없는가?" 라고 하시고 말에 대해서는 묻지 않으셨다.

18. Kiam la princo donacis al la Majstro kuiritan
viandon, tiu nepre ordigis sian maton, mem gustumis
ĝin kaj poste disdonis ĝin al aliaj. Kiam la princo
donacis al li nekuiritan viandon, tiu nepre kuiris ĝin
kaj oferis ĝin al la spiritoj de siaj prapatroj. Kiam la
princo donacis al li vivan animalon, tiu nepre tenis ĝin
vivanta.

Kiam Konfuceo servis la princon kunmanĝante kun li,
antaŭ ol la princo faris oferon, li gustumis ĉiun
manĝaĵon.

임금이 요리한 고기를 주시면 반드시 자리를 바르게 하여 먼저 맛
보고 사람에게 나눠 주시고, 임금이 날고기를 주시면 익혀서 조상
에게 먼저 올리시며 임금이 산 짐승을 주시면 반드시 기르시었다.

임금을 모시고 식사할 때 임금이 고수레를 하기 전에 먼저 맛보시
었다.

19. Kiam la Majstro estis malsana kaj la princo venis
lin viziti, li turnis la kapon al la oriento kaj kovris

siajn ŝultrojn per sia kortega robo kaj lasis ĝian zonon pendanta.

병이 들었을 때에 임금이 와서 보시면, 동으로 머리를 두시고 조복을 껴입고 큰 띠를 걸쳐서 경의를 표하셨다.

20. Kiam la princo sendis alvoki Konfuceon, antaŭ ol la ĉevaloj estis aljungitaj al la kaleĝo, tiu jam piede ekiris.

임금이 명하여 부르시면 말이 멍에 매는 것을 기다리지 아니하시고 걸어 가시었다.

21. Enirinte en Grandan Templon, Konfuceo demandis pri ĉiu afero tiea.

태묘에 들어가서는 모든 일을 물으셨다.

22. Kiam amiko de Konfuceo mortis, se la mortinto havis neniun parencon, kiu povus zorgi pri la sepulto, li diris: "Mi lin enterigos."

벗이 죽어서 고인에게 장사를 지낼 친족이 없으면 "내가 그를 묻어주겠다" 고 하셨다.

23. Akceptante donacon de amiko, eĉ se ĝi povis esti kaleŝo kaj ĉevaloj, li ne klinsalutis la donacanton. La sola donaco, pro kiu li klinsalutis, estis oferviando.

벗이 보낸 선물은 비록 수레와 말이라도 절하지 아니하셨다. 절한 유일한 선물은 제사지낸 고기였다.

24. En la lito Konfuceo ne kuŝis surdorse kiel kadavro. En la hejmo li ne havis seriozan mienon kiel en

ceremoniaj okazoj.

공자는 침대에서 시체처럼 등을 대고 누워 있지 않았다. 집에서 그는 의식 때처럼 진지한 표정을 짓지 않았다.

25. Kiam Konfuceo vidis iun en funebra vesto, eĉ se tiu estis al li tre intima, li nepre ŝanĝis sian mienon. Kiam li vidis iun surhavantan ceremonian ĉapon, aŭ blindulon, eĉ se tiu estis ofte renkontata de li, li nepre salutis tiun en ceremonia maniero.

Al tiu, kiu estis portanta vestojn de mortinto, li nepre klinis sin antaŭen kun la manoj sur la transversa stango de sia kaleŝo, por montri simpation. Li klinis sin en la sama maniero ankaŭ al tiu, kiu portis sur la dorso landmapojn aŭ loĝantarajn registrojn de la regno, por esprimi respekton.

Vidante abundon da fajnaj manĝaĵoj sur la tablo, li nepre ŝanĝis sian mienon kaj stariĝis.

Ĉe subita ektondro kaj fortega vento li nepre ŝanĝis sian mienon.

상복을 입은 자를 보시면 비록 친하더라도 반드시 얼굴빛을 고치시며, 면류관을 쓴 이와 소경을 보시면 비록 자주 만날지라도 반드시 예의로 대하셨다.

상복을 입은 이를 만나면 수레 위에서 예를 표하시며, 등에 나라의 지도와 호적을 진 자에게도 그와 같이 하셨다.

성찬을 받으시면 반드시 얼굴빛을 고치시고 일어나셨다.

빠른 우뢰와 맹렬한 바람에는 반드시 얼굴빛을 고치셨다.

26. Kiam Konfuceo estis preta enkaleŝiĝi, li nepre rekte staris, tirante la rimenon de la kaleŝo.

Kiam li estis en la kaleĝo, li ne rigardis posten, nek haste parolis, nek montris per la fingro jen ion jen alion.

수레에 오르실 때에는 반드시 바로 서서 수레 고삐를 잡으셨다.

수레 안에서 머리를 돌려보지 않고 말을 빨리 하지 않으시며, 몸소 손가락으로 물건을 가리키지 않으셨다.

27. Sentante sin minacataj de danĝero, kelkaj fazanoj tuj flugis supren kaj, post kelktempa rondflugado, falis sur arbon.

La Majstro diris: "La fazaninoj tie sur la monteĝo konas la cirkonstancojn! Ili konas la cirkonstancojn!" Zilu respektoplene salutis ilin per kunigitaj manoj, kaj ili forflugis kun krioj.

위험에 처한 꿩 몇 마리는 곧바로 날아올라 잠시 날아가다가 나무에 앉았다.

공자께서 말씀하시기를 "거기 언덕 위의 꿩들은 사정을 안다! 그들은 사정을 안다!" 자로가 손을 맞잡고 정중하게 인사하자 그들은 소리를 지르며 날아갔다.

ĈAPITRO XI XIAN JIN 제11장 선진

1. La Majstro diris: "Tiuj, kiuj lernas ceremoniojn kaj muzikon antaŭ ol fariĝi regnaj oficistoj, estas kleruloj senprivilegiaj, dum tiuj, kiuj fariĝas regnaj oficistoj antaŭ ol lerni ceremoniojn kaj muzikon, estas aristokratoj. Se mi devus elekti inter ili kompetentulojn, mi preferus la unuajn."

공자께서 말씀하시기를 "나라 신하가 되기 전에 예와 악을 배우는 사람은 질박한 선비다. 예와 악을 배우기 전에 나라 신하가 되는 사람은 귀족이다. 그 중에서 유능한 사람을 뽑으라면 전자를 택하겠다." 고 하셨다.

2. La Majstro diris: "El tiuj, kiuj siatempe sekvis min en Chen- kaj Cai-regnoj, nun jam neniu estas ĉe mi."

공자 말씀하시기를, "나를 진과 채에서 따르던 자가 다 문하에 있지 않구나!" 라고 하셨다.

3. Tiuj, kiuj distingiĝas per siaj virtaj principoj kaj praktiko, estas Yan Yuan, Min Ziqian, Ran Boniu kaj Zhonggong. Per sia kapablo en parolo: Zai Wo kaj Zigong. Per siaj administraj talentoj: Ran You kaj Jilu. Per siaj literaturaj scioj: Ziyou kaj Zixia

덕행에는 안연과 민자건과 염백우와 중궁이요, 언어에는 재아와 자공이요, 정사에는 염유와 자로요, 문학에는 자유와 자하가 뛰어났다.

4. La Majstro diris: "Hui ne estas tia homo, kiu povus doni al mi helpon, ĉar ĉion, kion mi diras, li akceptas kun ĝojo senescepte."

공자 말씀하시기를, "안회는 나를 돕는 자가 아니다. 나의 말에 기뻐하지 않는 바가 없구나." 라고 하셨다.

5. La Majstro diris: "Fidela filo ja estas Min Ziqian. Pri li aliaj homoj diras nenion malsaman de la laŭdoj al li fare de liaj gepatroj kaj fratoj."

공자 말씀하시기를, "효자로다, 민자건이여! 사람들도 그 부모와 형제가 그를 칭찬하는 말에 이의가 없도다." 고 하셨다.

6. Nan Rong ripetade voclegis la versojn pri la blankjada gui-o". Konfuceo edzigis lin al la filino de sia pliaĝa frato.

남용이 백규의 시를 세 번 반복하니, 공자께서 그 형의 딸로써 아내를 삼게 하시었다.

7. Ji Kang demandis, kiu el la disĉiploj de Konfuceo amas lerni. La Majstro respondis: "Yan Hui amis lerni. Malfeliĉe lia vivdaŭro estis mallonga, kaj li mortis. Nun troviĝas neniu, kiu tiel amas lerni, kiel li."

계강자가 묻기를, "제자 중에 누가 배움을 좋아합니까?" 하니, 공자 말씀하시기를, "안회라는 자가 있어서 배우기를 좋아하더니, 불행히 목숨이 짧아 죽어서 이제는 없노라." 고 하셨다.

8. Post kiam Yan Yuan mortis, Yan Lul, lia patro, petis la Majstron vendi sian kaleŝon, por aĉeti per tio al Yan Yuan eksteran ĉerkon. La Majstro diris: "Ĉiu nomas sian filon sia filo, tute egale, ĉu li estas talenta aŭ ne. Kiam mortis Li, mia filo, li havis nur internan ĉerkon, sed ne eksteran. Mi ne povas vendi mian

kaleŝon, por aĉeti al li eksteran ĉerkon, ĉar al mi, iama granda oficisto, ja ne decus piediri."

안연이 죽으니, 부친 안로가 공자에게 곽을 사려하니 수레를 팔아 달라고 청하니 공자 말씀하시기를, "재주가 있거나 없거나 똑같이 각기 그 자식을 자식이라고 부른다. 내 아들 리가 죽어서 관만 있고 곽은 없었는데, 내가 곽을 사려고 수레를 팔 수 없었으니 언젠가 대부였던지라 도보로 가지 못하기 때문이다." 고 하셨다.

9. Kiam Yan Yuan mortis, la Majstro diris: "Ho ve! Ĉielo pereigas min! Ĉielo pereigas min!"

안연이 죽으니 공자께서 말씀하시기를, "아아, 하늘이 나를 망쳤구나! 하늘이 나를 망쳤구나!" 고 하셨다.

10. Kiam Yan Yuan mortis, la Majstro dolorege priploris lin, kaj liaj disĉiploj, kiuj estis kun li, diris : - Vi tro malĝojas!" "Ĉu troas mia malĝojo?" li diris. "Se mi ne forte funebrus pri tiu ĉi homo, pri kiu do mi devus funebri?"

안연이 죽으니 공자께서 곡하심을 애통히 하시니 따르는 자가 말하기를, "선생님께서 너무 애통해 하십니다." 고 하였다. 공자 말씀하시기를, "애통하는 것이 지나침이 있느냐? 이 사람을 위하여 애통하지 아니하고 누구를 위하여 애통하리오" 라고 하셨다.

11. Post kiam Yan Yuan mortis, la disĉiploj de la Majstro volis doni al li pompan enterigon. La Majstro diris: "Vi ne povas tion fari."

Sed malgraŭe ili enterigis lin en pompa maniero. La Majstro diris: "Hui traktis min kiel sian patron, sed mi ne povis trakti lin kiel mian filon. La kulpo ne estas mia, ĉar liaj kunlernantoj tiel faris."

안연이 죽으니 공자의 제자들이 후하게 장사하고자 하였더니, 공자께서 말씀하시기를, "그렇게 할 수 없다." 고 하셨다.

그들이 후하게 장사하였더니, 공자 말씀하시기를, "안회는 나를 보기를 아비같이 하나, 나는 보기를 아들같이 못하니, 나의 뜻이 아니라 저 동문들이 그렇게 했느니라." 고 하셨다.

12. Jilu demandis pri la servado al la spiritoj de mortintoj. La Majstro diris: "Dum vi ankoraŭ ne povas servi al vivantoj, kiel vi povus servi al la spiritoj de mortintoj?" Jilu aldonis: "Ĉu vi permesas al mi demandi pri la morto?" La Majstro diris: "Dum vi ankoraŭ ne scias, kio estas la vivo, kiel vi povus scii, kio estas la morto?"

자로가 귀신을 섬기는 것을 물으니, 공자께서 말씀하기를, "능히 사람을 섬기지 못하면서 어찌 능히 귀신을 섬기겠느냐." 라고 하시니, 자로가 말하기를, "감히 죽음을 묻습니다." 고 하니 공자 말씀하시기를, "삶에 대해서도 제대로 알지 못하면서 어찌 죽음을 알겠느냐?" 라고 하셨다.

13. Min Ziqian staris ĉe la flanko de la Majstro kun mieno honesta kaj respektoplena; Zilu kun mieno firmavola kaj sentima; Ran You kaj Zigong kun mieno milda kaj gaja. La Majstro ekĝojis, sed li diris: "Vidante tian mienon de You, mi timas, ke li mortos nenaturan morton."

민자건은 공자를 보실 적에는 정직하고 존경심을 가득 품은 모습이고, 자로는 강직하고 감상적인 모습이었으며, 염유와 자공은 부드럽고 즐거운 모습이었는데, 공자께서 기뻐하셨지만 말하기를 "자로

같은 이는 자연스런 죽음을 얻지 못할 듯하다." 고 하셨다.

14. En Lu-regno oni alikonstruis la regnan trezorejon nomatan Changfu. Min Ziqian diris: "Ĉu ne estus pli bone, se ĝi estus riparita laŭ sia malnova stilo? Kial do ĝi devas esti alikonstruita ?" La Majstro diris: "Tiu ĉi homo malofte parolas.
Kiam li parolas, li certe diras ion trafan."
노나라 사람이 장부를 고쳐 짓더니 민자건이 말하기를, "그대로 수리를 하는 것이 어떠한가? 어찌 반드시 고쳐 지을까?" 라고 하였다. 공자 말씀하시기를, "이 사람은 말을 하지 아니 할지언정, 말하면 반드시 이치에 맞게 한다." 고 하셨다.

15. La Majstro diris: "Kial You ludas se-on ĉi tie ĉe mi?" La aliaj disĉiploj pro tio komencis ne respekti Zilu. La Majstro diris: "You jam ascendis al la halo, kvankam li ankoraŭ ne eniris en la internan ĉambron."
공자 말씀하시기를, "자로가 거문고를 어찌 나의 집에서 타느냐?" 고 하셨다. 문인이 자로를 공경치 아니하니, 공자 말씀하시기를, "자로의 학문은 당에 오르고 아직 안방에 들어가지 못하였다." 고 하셨다.

16. Zigong demandis, kiu el la du, Shi aŭ Shang, estas la pli bona. La Majstro diris: "Shi transiras la Ĝustan Mezon, kaj Shang ne atingas ĝin." "Do," diris Zigong, "Shi devas esti la pli bona." La Majstro diris: "Transiro estas same malbona, kiel neatingo."
자공이 묻기를, "자장과 자하는 누가 어진 사람입니까?" 라고 하니 공자 말씀하시기를, "자장은 지나치고 자하는 미치지 못한다."

고 하셨다. 자공이 말하기를, "그렇다면 자장이 낫습니까?" 라고 하니 공자 말씀하시기를, "지나치는 것은 미치지 못하는 것과 같은 것이다." 고 하셨다.

17. La ĉefo de Ji-familio estis pli riĉa ol la duko de Zhou, kaj tamen Ran Qiu kolektis por li impostojn kaj pligrandigis lian riĉecon. La Majstro diris: "Ran Qiu ne plu estas mia disĉiplo. Miaj knaboj, tamburu kaj lin ataku."

계씨가 재상인 주공보다 부유한데, 염유가 많은 세금을 거두어서 더욱 부유하게 하였다. 공자 말씀하시기를, "염유는 더 이상 내 제자가 아니니, 제자들아, 북을 올려서 그를 성토하라." 고 하셨다.

18. Chai estis stulteta. Shen estis nesprita. Shi estis ekstremema. You estis riskema.

자고는 어리석고 증삼은 노둔하고 자장은 편벽하고 자로는 속되다.

19. La Majstro diris: "Hui estas preskaŭ perfekte virta , sed li ofte suferas ekstreman malriĉecon. Ci, kiu ne submetas sin al la volo de Ĉielo, faras negocojn, kaj liaj juĝoj en spekulado ofte estas ĝustaj."

공자 말씀하시기를, "안회는 거의 도에 가까웠어도 여러 번 양식이 떨어져 힘들었다. 자공은 천명을 받지 아니하고 재물을 늘리지마는 생각하면 잘 사리에 맞추는 것이다." 고 하셨다.

20. Zizhang demandis, kiel oni povas fariĝi bona homo. La Majstro diris: "Tiu, kiu ne sekvas la paŝosignojn de aliaj, ne povas eniri en la ĉambron de la virto kaj saĝo."

자장이 착한 사람의 도를 물으니, 공자께서 말씀하시기를, "다른 사람의 자취를 밟지 아니한 자는 덕과 지의 방에 들어갈 수 없을 것이다." 고 하셨다.

21. La Majstro diris: "Ni ĉiam laŭdas iun pro liaj solidaj kaj sinceraj vortoj, sed ĉu li efektive estas noblulo aŭ ĉu li nur ŝajnigas sin tia?"
공자 말씀하시기를, "언론이 독실한 이를 칭찬한다면 그가 실제로 군자겠느냐? 외모만 그렇게 보이겠느냐?" 고 하셨다.

22. Zilu demandis: "Ĉu mi devas tuj plenumi tion, kion mi aŭdis?" La Majstro respondis: "Kiel vi povas tiel agi, dum ankoraŭ vivas viaj patro kaj pliaĝaj fratoj, kiujn vi devas konsulti?"
Ran You demandis la samon, tamen la Majstro respondis: "Jes, tuj plenumu tion, kion vi aŭdis."
Gongxi Hua do diris: "You demandis, ĉu li devas tuj plenumi tion, kion li aŭdis, kaj vi diris: "Vi devas konsulti viajn patron kaj pliaĝajn fratojn.' Qiu demandis, ĉu li devas tuj plenumi tion, kion li aŭdis, kaj vi diris: "Tuj ĝin plenumu. La respondoj, kiujn vi ĵus donis, konfuzas min, kaj mi permesas al mi peti vin pri klarigo." La Majstro diris: "Qiu estas retiriĝema, tial mi lin instigis. You havas tro da kuraĝo, tial mi lin retenis."
자로가 묻기를, "말을 들으면 이에 행하리까?" 라고 하니 공자 말씀하시기를, "상담해야 할 부형이 계신데 어찌 이에 행하겠느냐?" 고 하셨다.
염유가 묻기를, "말을 들으면 이에 행해야 합니까?" 하니 공자 말씀하시기를, "듣는 대로 행할 것이다." 고 하셨다.

공서화가 말하기를, "자로가 들었으니 이에 행하리까?" 라고 묻자 공자 말씀하시기를, "부형에게 상담해야 한다." 고 하시고 염유가 묻기를, "듣고 이에 행하리까?" 하니 공자 말씀하시기를, "듣고 이에 행하라." 고 하시니 "저는 혼란스러워 감히 설명을 묻습니다." 하니 공자 말씀하시기를, "염유는 소극적인 고로 나아가게 하고, 자로는 용기가 너무 강한 고로 물러가게 한 것이다." 고 하셨다.

23. La Majstro estis retenita en Kuang kaj Yan Yuan postiĝis. La Majstro, ĉe ilia rekuniĝo, diris: "Mi pensis, ke vi jam mortis." Hui respondis: "Dum vi vivas, kiel mi kuraĝus morti?"

공자께서 광에서 난을 당하셨을 때, 안연이 뒤에 왔더니, 만나서 공자 말씀하시기를, "나는 네가 죽은 줄로 알았다." 고 하시니 말하기를, "선생님께서 계신데 제가 어찌 감히 죽겠습니까?" 라고 하였다.

24. Ji Ziran demandis: "Ĉu Zhong You kaj Ran Qiu povas esti ministroj?" La Majstro diris: "Mi pensis, ke vi demandos pri iuj aliaj personoj. Sed nun vi demandas nur pri You kaj Qiu! Homo, kiu estas nomata ministro, devas servi sian princon laŭ tio, kio estas ĝusta, kaj kiam li trovas, ke li ne povas tiel agi, li retiriĝas. Nun, koncerne You kaj Qiu, ili povas esti nomataj nur ordinaraj subuloj de la suvereno."

Ji Ziran daŭre demandis: "Do ili ĉiam sekvos sian ĉefon, ĉu ne?" La Majstro diris: "En ago de mortigo de patro aŭ suvereno, ili certe ne sekvus lin."

계자연이 묻기를, "자로나 염구는 대신이라고 이르겠습니까?" 라고 하니 공자 말씀하시기를, "내가 자네는 다른 사람에 대해 물음

을 하리라 하였더니 이에 자로와 염구의 일을 묻는구나. 이른바 대
신이라는 것은 도로써 임금을 섬기다가 옳지 아니하면 마는 것이
다. 이제, 자로와 염구는 주권자의 평범한 신하라 하여도 좋다." 고
하셨다.

계자연이 말하기를, "그러면 윗사람에게 항상 순종하는 자입니
까?" 하니 공자 말씀하시기를, "아비와 임금을 죽이는 것은 또한
따르지 아니할 것이다." 고 하셨다.

25. Zilu rekomendis Zigao por la ofico de prefekto de
Bi. La Majstro diris: "Tio alportos malutilon al la
tieuloj."

Zilu diris: "Tie estas la popolo kaj regnaj oficistoj; tie
estas la altaroj de la dioj de la tero kaj greno. Kial do
oni nepre devas legi librojn antaŭ ol esti rigardata kiel
homo jam farinta lernadon?" La Majstro diris: "Jen kial
mi abomenas homon, kiu ruze sin pravigas."

자로가 자고로 하여금, 비 땅의 원을 추천했더니, 공자 말씀하시기
를, "그곳 사람들에게 해를 끼치는 것이다." 고 하셨다.

자로가 말하기를, "백성이 있고 사직이 있으니 어찌 반드시 글을
읽은 연후에 배운다고 하겠습니까?" 라고 하니 공자 말씀하시기를,
"이런 고로 교활하게 자신을 정당화하는 사람을 미워하는 것이
다." 고 하셨다.

26 Zilu, Zeng Xi, Ran You kaj Gongxi Hua sidis apud
la Majstro.

La Majstro diris al ili: "Kvankam mi estas iom pli aĝa
ol vi ĉiuj, tamen ne vin ĝenu pro mia alesto. De tago
al tago vi diras: 'Oni ne konas min!' Se iu princo
konus vin kaj volus komisii al vi ion plenumi, kion do

vi dezirus fari?"

Zilu respondis senpripense: "Supozu regnon kun mil militĉaroj. Ĝi troviĝas inter aliaj potencaj regnoj kaj estas atakata de invadantaj armeoj kaj suferas malsategon. Se oni konfidus al mi la regadon de ĝi, en tri jaroj mi povus fari la popolon kuraĝa en milito kaj igi ilin ekscii la regulojn de virta konduto."

La Majstro ekridetis al li.

Turninte sin al Ran You, la Majstro demandis: "Kaj vi, Ran You?"

Ran You respondis: "Supozu regnon de sesdek aŭ sepdek kvadrataj li-oj aŭ regnon de kvindek aŭ sesdek. Se oni konfidus al mi la regadon de ĝi, en tri jaroj mi povus riĉigi ĝian popolon ĝis abundeco. Koncerne la aferon instrui al la popolo la decregulojn kaj muzikon, mi devus atendi kompetentan noblulon."

"Kio estas viaj deziroj, Chi?" demandis la Majstro al Gongxi Hua.

Gongxi Hua respondis: "Mi ne pretendas esti kapabla plenumi ĉi tiujn aferojn, sed mi dezirus ilin lerni. Ĉe oferaj ceremonioj en la princa prapatra templo aŭ en kunvenoj de princoj por allianciĝo mi volus, portante ceremoniajn veston kaj ĉapon, esti nur eta asistanto."

Laste la Majstro demandis Zeng Xi: "Dian kio estas viaj deziroj?"

Farante paŭzon dum ludado sur sia se-o, kies pli kaj pli mallaŭtiĝanta sono abrupte ĉesis, Zeng Xi flanken metis la instrumenton kaj stariĝis. "Miaj deziroj," li diris, "estas diferencaj de tiuj de la tri kamaradoj."

"Kia malutilo povas esti en tio?" diris la Majstro. "Do ankaŭ vi, same kiel ili, eldiru viajn dezirojn."

"Nu, bone. La lastan monaton de printempo, portante printempajn vestojn, kune kun kvin aŭ ses ĉapitaj junuloj kaj ses aŭ sep neĉapitaj knaboj, mi min banus en la rivero Yi, ĝuus la karesadon de la brizo ĉe Pluv-altaro, kaj kantante revenus hejmen."

La Majstro sentoplene faris profundan elspiron kaj diris: "Mi donas aprobon al Dian."

Post kiam la tri aliaj eliris, Zeng Xi restis tie kaj demandis: "Kion vi opinias pri la vortoj de tiuj ĉi tri kamaradoj ?"

La Majstro respondis: "Ili nur eldiris ĉiu siajn dezirojn."

Zeng Xi daŭrigis: "Majstro, kial vi ridetis je Ran You?"

La Majstro respondis: "La regado de regno postulas la decregulojn. Liaj vortoj ne estis modestaj, tial mi ridetis je li."

Zeng Xi ree diris: "Sed ĉu tia regno, kiun Ran You proponis al si, ne estas regno en la vera senco de la vorto?"

"Jes ja. Ĉu vi iam vidis teritorion de sesdek aŭ sepdek kvadrataj li-oj, aŭ de kvindek aŭ sesdek, kiu ne estis regno?"

Ankoraŭfoje Zeng Xi demandis: "Kaj ĉu tia regno, kiun Chi proponis al si, ne estas regno?"

La Majstro ree respondis: "Se ĝi, en kiu troviĝas princa prapatra templo kaj povas okazi kunvenoj de princoj por alianciĝo, ne estas regno, kio do ĝi estas? Se Chi estus eta asistanto en tiuj okazoj, kiu do povus esti granda asistanto?"

자로와 증석과 염유와 공서화가 모시고 앉았더니, 공자 말씀하시기를, "내가 너희들보다 나이가 조금 많지마는 내가 있다고 근심하지 말라." 고 하셨다.

평상시에 말하기를, "사람들이 나를 알지 못한다." 고 하니, "만일 혹 임금이 너희를 알아주면 어찌 하겠느냐?" 라고 하니 자로가 급히 대답하여 말하기를, "천승의 나라가 큰 나라 사이에 끼어 침략군에게 공격을 받고 기근까지 겹치어도 제가 다스리면 삼년이면 백성들을 용맹이 있게 하고 또 덕행의 규율을 배우게 할 수 있겠습니다." 라고 하였다.

선생님께서는 빙그레 웃으셨다. 돌아서서 염유를 향해 물으시기를, "염유, 너는 어떻게 하겠느냐?" 라고 하니 대답하기를, "지방이 육칠십 리 혹은 오륙십 리는 제가 하면 삼년이면 백성을 족하게 하려니와 그 예와 악 같은 것은 군자를 기다리겠습니다." 고 하였다.

"공서화, 너는 어떻게 생각하겠느냐?" 라고 공서화에게 물으니 대답하기를, "능히 할 수 있다고 말할 수 없으니 배우기를 원합니다. 종묘의 일과 혹 회합이 있을 때에 예복과 관모를 쓰고 조금 돕기를 원합니다." 고 하였다.

마지막으로 증석에게 공자 물으시기를, "증석, 너는 어떻게 하겠느냐?" 라고 하시니 비파 타기를 잠깐 중단, 한 번 소리를 굵게 내고 놓으며 일어나서 대답하기를, "세 사람이 갖추어 아뢴 것과는 다릅니다." 고 하였다.

공자 말씀하시기를, "각자 자기 뜻을 말한 것이니라." 고 하셨다.

말하기를, "저문 봄에 봄옷을 입고 관자 오륙 인과 동자 육칠 인으로 기수에서 목욕하고 우제단에서 바람 쐬고 읊고 돌아오리다." 고 하니,

공자께서 벅차 탄식하며 말씀하시기를, "나는 증석처럼 하고자 한다." 고 하셨다

세 사람이 나가니 증석이 뒤에 있더니 말하기를, "세 사람의 말이

어떠합니까?" 라고 하니 공자 말씀하시기를, "각자 자기 뜻을 말하였을 뿐이다." 고 하시니 말하기를, "스승께서 어찌 하여 자로의 말에 빙그레 웃으셨습니까?" 하니 공자 말씀하시기를, "나라의 정치는 예로써 하는데 그 말이 겸양하지 아니하여 이 때문에 웃었다." 고 하셨다.

증석이 이르기를, "그러면 염유가 제안한 나라가 진정한 의미의 나라가 아닙니까?" 라고 하니 공자 말씀하시기를, "어찌 방이 육칠십 리와 혹은 오륙십 리라고 해서 나라가 아니겠느냐?" 라고 하셨다. "그렇다면 공서화가 말한 것은 나라의 일이 아닙니까." 라고 하니 "종묘와 회동하는 것은 제후가 아니고 무엇이겠느냐? 공서화가 작다면 누가 능히 큰 것이 되겠느냐?" 라고 하셨다.

ĈAPITRO XII YAN YUAN 제12장 안연

1. Yan Yuan demandis pri la perfekta virto. La Majstro diris: "Kiu povas sin reteni kaj submetiĝi al la deco, tiu estas perfekte virta. Se vi unu tagon povos vin reteni kaj submetiĝi al la deco, ĉiuj sub la ĉielo honoros vin kiel homon perfekte virtan. En la praktikado de la perfekta virto oni dependas de si mem, ĉu eblas dependi de aliaj?"
Yan Yuan diris: "Permesu al mi demandi pri la detaloj de la submetiĝo al la deco." La Majstro respondis: "Rigardu nenion kontraŭan al la deco; aŭskultu nenion kontraŭan al la deco; diru nenion kontraŭan al la deco; faru nenion kontraŭan al la deco."
Yan Yuan diris: "Kvankam mi estas nesufiĉe inteligenta, tamen mi volas praktiki viajn vortojn."
안연이 인을 물으니, 공자께서 말씀하시기를, "몸을 이기고 예에 돌아가는 것이 인을 행하는 것이니, 하루 몸을 이겨서 예에 돌아가면 천하가 인에 돌아올 것이니, 인을 하는 것은 자기에게 있는 것이니, 어찌 남에게서 말미암을 것이냐?" 고 하셨다.
안연이 말하기를, "청컨대, 그 조목을 묻고자 하나이다." 하니 공자 말씀하시기를, "예가 아니면 보지 말며, 예가 아니면 듣지 말며, 예가 아니면 말하지 말며, 예가 아니면 움직이지 말라." 고 하셨다.
안연이 말하기를, "저 안회가 비록 민첩하지 못하나 청컨대, 이 말씀을 일삼겠습니다." 라고 하였다.

2. Zhonggong demandis pri la perfekta virto. La Majstro diris: "Kiam vi estas for el la hejmo, kondutu

al ĉiu kvazaŭ vi akceptus honoran gaston; kiam vi laborigas la popolon, agu tiel kvazaŭ vi asistus ĉe granda oferado; ne faru al aliaj tion, kion vi ne dezirus fari al vi mem; ne havu plendemon en la regno, nek en la familio. Jen perfekta virto."

Zhonggong diris: "Kvankam mi estas nesufiĉe inteligenta, tamen mi volas praktiki viajn vortojn."

중궁이 인을 물으니, 공자 말씀하시기를, "문에 나가서는 큰 손님을 뵙는 것같이 하며, 백성을 부리기를 큰 제사를 돕는 것같이 하고, 자기가 하고자 아니하는 바를 남에게 베풀지 말 것이니, 그러면 나라에 있어도 원망이 없을 것이며, 집에 있어도 원망이 없을 것이다." 고 하셨다.

중궁이 말하기를, "내가 비록 민첩하지 못하나 청컨대, 이 말씀을 일삼겠습니다." 라고 하였다.

3. Sima Niu demandis pri la perfekta virto. La Majstro diris: "La homo perfekte virta estas diskreta en sia parolo."

"Diskreta en sia parolo!" diris Sima Niu. "Ĉu tio povas esti rigardata kiel la perfekta virto?" La Majstro diris: "Kiam oni sentas malfacilon en plenumo, ĉu oni povus esti alia ol diskreta en parolo?"

사마우가 인을 물으니, 공자 말씀하시기를, "어진 자는 그 말을 신중하게 할 것이다." 고 하셨다.

사마우가 말하기를, "그 말을 신중하게 하면 인이라고 이르겠습니까?" 라고 하니 공자 말씀하시기를, "실천하기 어렵다고 느낄 때 말을 삼가하지 않을 수 있겠는가?" 라고 하셨다.

4. Sima Niu demandis, kia devas esti la noblulo. La

Majstro diris: "La noblulo havas nek maltrankvilon, nek timon."

"Havi nek maltrankvilon, nek timon!" diris Sima Niu. "Ĉu tio povas konsistigi kion ni nomas la noblulo?" La Majstro diris: Kiam interna memekzameno malkovras nenion malbonan, kio do estas maltrankviliga kaj kio do estas timinda ?"

사마우가 군자의 도리를 물으니, 공자 말씀하시기를, "군자는 근심하지 아니하고 두려워하지 아니 한다." 고 하셨다.

사마우가 말하기를, "근심하지 않고 두려워하지 않으면 이것을 군자라고 이릅니까?" 라고 하니 공자 말씀하시기를, "안으로 반성하여 나쁜 것이 없으면 무엇을 근심하고 무엇을 두려워하겠느냐?" 라고 하셨다.

5. Sima Niu, plena de malĝojo, diris: "Ĉiuj aliaj havas fratojn, nur mi havas neniun." Zixia diris al li: "Mi aŭdis la proverbon: 'Morto kaj vivo estas destinitaj de la sorto, riĉeco kaj honoro dependas de Ĉielo. Se la noblulo konscience zorgas siajn aferojn kaj ne faras erarojn, kaj se li kondutas ĝentile al aliaj kaj observas la decregulojn, tiam ĉiuj en la mondo estos liaj fratoj. Kiel do la vera noblulo povus malĝoji pro manko de fratoj?"

사마우가 근심하여 이르기를, "남은 모두 형제가 있는데 나만 홀로 형제가 없도다." 하니 자하가 이르기를, "속담을 내가 들으니 죽고 사는 것이 명이 있고 부와 귀는 하늘에 달렸음이라. 군자가 공경하여 실수가 없으며, 사람으로 더불어 공손하고 예가 있으면 사해 안이 다 형제이니 군자가 어찌 형제 없는 것을 근심하리오" 라고 했다.

6. Zizhang demandis pri la prudento. La Majstro diris：
"Tiu, sur kiun efikas nek kalumnioj, kiuj iom post iom
penetras en la menson, nek miskulpigoj, kiuj estas
dolorigaj kiel vundo en la karno, povas esti nomata
homo prudenta. Tiu, sur kiun efikas nek kalumnioj,
kiuj iom post iom penetras en la menson, nek
miskulpigoj, kiuj estas dolorigaj kiel vundo en la
karno, povas esti nomata ankaŭ homo
malproksim-vida."

자장이 현명한 것을 물으니 공자께서 말씀하시기를, "조금씩 마음
에 파고드는 비방도, 몸에 상처를 입히는 것처럼 고통스러운 비난
도 받지 않으면 현명하다고 이를 것이다. 조금씩 마음에 파고드는
비방도, 몸에 상처를 입히는 것처럼 고통스러운 비난에 영향을 받
지 아니하면 식견이 고원하다고 할 것이다." 고 했다

7. Zigong demandis pri la regado. La Majstro diris: "La
necesaj kondiĉoj de regado estas sufiĉaj nutraĵoj,
sufiĉaj armiloj kaj la fido de la popolo al sia reganto."
Zigong diris: "Se oni estas devigitaj nepre forigi unu el
la tri, kiun do unue laŭ vi?" "La armilojn," diris la
Majstro. Zigong ree demandis: "Se oni estas devigitaj
nepre forigi unu el la du restantaj, kiun do laŭ vi?" La
Majstro respondis: "La nutraĵojn. De la antikveco neniu
povas eviti la morton. Sed se la popolo havas nenian
fidon al siaj regantoj, la regno neniel povas firme
stari."

자공이 정사를 물으니 공자 말씀하시기를, "먹을 것을 족하게 하
고 무기를 족하게 하고 백성들에게 신뢰를 받는 것이 필요한 조건

이다.” 고 하시니 자공이 말하기를, “반드시 마지못하여 버린다면 이 세 가지 중에서 어느 것을 먼저 하겠습니까?” 하니 공자 말씀하시기를, “무기리라.” 고 하셨다. 자공이 말하기를, “반드시 마지못하여 버린다면 이 두 가지 중에서 어느 것을 먼저 하겠습니까?” 하니 공자 말씀하시기를, “먹을 것을 버릴 것이니, 예로부터 다 죽음이 있지마는 백성들에게 신뢰를 받지 못하면 나라를 지탱하지 못할 것이다” 고 하셨다.

8. Ji Zicheng diris: “Por la noblulo sufiĉas nur la esencaj kvalitoj - kial do necesas la ornamaj ecoj?” Zigong diris: “Estas bedaŭrinde, ke vi, sinjoro, tiel erare parolas pri la noblulo! Vian langon ja ne povas kuratingi kvar ĉevaloj. Ornamaĵoj estas kiel esenco; esenco estas kiel ornamaĵoj. La felo de tigro aŭ leopardo senigita je ĝiaj haroj ja estas simila al la felo de hundo aŭ kapro senigita je ĝiaj haroj.”

극자성이 말하기를, “군자는 바탕을 가질 따름이니 어찌 문채를 하겠습니까?” 라고 하니 자공이 그 말을 듣고 말하기를, “아깝구나, 그대의 말이 군자에 관해 잘못 알고 있으니 네 마리 말도 혀에 미치지 못할 것이다. 문채도 바탕과 같고, 바탕도 문채와 같으니 범과 표범의 털 벗겨진 가죽이 개와 양의 털 벗겨진 가죽과 같은 것이다.” 고 하셨다.

9. La princo Ai demandis You Ruo: “La jaro estas malgrasa, kaj la kolektitaj impostoj ne sufiĉas por kovri la regnajn elspezojn. Kion do fari?”
You Ruo respondis: “Kial ne meti dek-pocentan imposton?”
La princo diris: “Eĉ la dudek-pocentan mi trovas

nesufiĉa, kiel do mi povus meti la sistemon de dek pocentoj?"

You Ruo respondis: "Se la popolo ĝuas sufiĉecon, kiel do vi povus suferi malsufiĉecon? Se la popolo suferas malsufiĉecon, kiel do vi povus ĝui sufiĉecon?"

애공이 유약에게 묻기를, "흉년이 들어서 씀씀이가 족하지 못하니 어떻게 해야 되겠는가?" 하니 유약이 대답하기를, "어찌 10퍼센트 세금을 부과하지 아니하십니까?" 하니 애공이 말하기를, "20퍼센트도 오히려 족하지 못한데 어찌 10퍼센트 세금을 부과하겠는가?" 라고 하니 유약이 대답하기를, "백성이 족하면 임금이 어떻게 부족해서 어려우며, 백성이 족하지 아니하면 임금이 어떻게 족하시겠습니까?" 라고 했다.

10. Kiam Zizhang demandis, kiel altigi la virton kaj fari distingon inter la konfuziteco kaj nekonfuziteco de pensoj, la Majstro diris: "Teni fidelecon kaj sincerecon kiel unuajn principojn kaj alproksimiĝi al tio, kio estas justa - tio estas la maniero altigi la virton. Kiam oni amas iun, oni deziras, ke li longe vivu; kiam oni malamas lin, oni deziras, ke li tuj mortu. Deziri, ke li vivu kaj ankaŭ tuj mortu, estas ekzemplo de konfuziteco de pensoj. Tio ŝajnas stranga kaj alportas nenian utilon."

자장이 덕을 높이고 의혹을 분별할 것을 물으니 공자 말씀하시기를, "충과 신을 주로 하여 의에 가까이 하는 것이 덕을 높이는 것이다.

사랑하면 오래 살고자 하고 싫으면 죽고자 하니 이미 살고자 하고 또 죽고자 하면 이것이 미혹한 것이니 이상하게 보이고 아무런 유익도 가져다주지 아니한다." 고 하셨다.

11. La princo Jing de Qi demandis Konfuceon pri la regado. Konfuceo respondis: "La princo kondutu prince, la ministro kondutu ministre, la patro kondutu patre kaj la filo kondutu file." "Prave!" diris la princo. "Se la princo ne kondutus prince, la ministro ne kondutus ministre, la patro ne kondutus patre kaj la filo ne kondutus file, kvankam da milio mi havas abundon, ĉu mi povus ĝin ĝui?"

제나라 경공이 정사를 공자에게 물으니 공자 대답하기를, "임금은 임금다우며, 신하는 신하다우며 아비는 아비다우며 자식은 자식답게 그 구실을 다하는 것이다." 고 하셨다.

공이 말하기를, "좋은 말씀입니다. 진실로 임금이 임금노릇 못하며, 신하가 신하노릇 못하며 아비가 아비노릇 못하며, 자식이 자식노릇 못하면 비록 곡식이 족하나 내가 누릴 수 있겠는가?" 라고 하였다.

12. La Majstro diris: "Ha! Estas nur You, kiu povus decidi procesojn aŭskultinte unu partion!"
Zilu neniam prokrastis la plenumon de sia promeso.

공자 말씀하시기를, "당사자 한 사람의 말로 소송을 결심할 자는 자로일 것이다.

자로는 약속 실천을 지연하는 일이 없었다." 고 하셨다.

13. La Majstro diris: "Juĝante procesojn, mi estas same kiel la aliaj. Laŭ mi, kio estas necesa estas igi la popolon havi nenian proceson."

공자 말씀하시기를, "송사를 판결함이 다른 사람과 같으나 반드시 송사를 없도록 할 것이다." 고 하셨다

14. Zizhang demandis pri la regado. La Majstro diris: "Estu senlaca sur via posteno kaj fidela en plenumo de dekretoj."

자장이 정사를 물으니, 공자 말씀하시기를, "자리에서는 게으르지 않으며, 맡은 일을 행함에는 충성으로써 해야 할 것이다." 고 하셨다.

15. La Majstro diris: "La noblulo, kiu vaste studas literaturon kaj samtempe scias, kiel konduti laŭ la decreguloj, ne povas deflankiĝi de la ĝusta vojo."

공자 말씀하시기를, "글을 널리 배우고 예로써 그것을 행하면 또한 도에 어긋나지 않을 것이다." 고 하셨다

16. La Majstro diris: "La nobluloj ebligas al aliaj plenumi siajn bonajn dezirojn kaj ne ebligas al ili plenumi siajn malbonajn dezirojn. La malgrandaj homoj faras ĝuste la malon."

공자 말씀하시기를, "군자는 사람의 선한 소원을 이루고 사람의 악한 소원을 이루지 아니하는데 소인은 이와 반대다." 고 하셨다.

17. Ji Kang demandis Konfuceon pri la regado. Konfuceo respondis: "Regi signifas esti virtema. Se vi donas virtan ekzemplon en via gvidado, kiu do kuraĝus alie konduti?"

계강자가 공자에게 정사를 물으니 공자 말씀하시기를, "정사란 것은 덕으로 하는 것이니 당신이 통솔하기를 덕의 사례로 하면 누가 감히 바르지 않겠습니까." 라고 하셨다

18. Ji Kang, afliktita pri la granda nombro da ŝtelistoj en la lando, petis konsilon de Konfuceo. Konfuceo

respondis: "Se vi povus bridi vian avidecon, ili ne ŝtelus, eĉ se vi ilin rekompencus."

계강자가 도둑이 많은 것을 근심하여 공자께 물으니 공자 말씀하시기를, "진실로 그대가 탐내지 아니하면 비록 상을 주더라도 도둑질하지 않을 것이다." 고 하셨다

19. Ji Kang demandis Konfuceon pri la regado: "Kiel vi opinias pri mortigo de la homoj malvirtaj por la bono de la virtaj?" Konfuceo respondis: "Sinjoro, kial do necesus al vi mortigi homojn en la regado de via regno? Se viaj montritaj deziroj estas vere por tio, kio estas bona, la popolo certe fariĝos bona. La rilato inter la regantoj kaj la regatoj estas kiel tiu inter la vento kaj la herboj. La herboj devas kliniĝi, kiam la vento blovas sur ilin."

계강자가 정사를 공자에게 물어 말하기를, "만일 도가 없는 이를 죽여서 도가 있는데 나아가게 하면 어떠합니까?" 하니 공자 대답하시기를, "그대가 정사하기를 어찌 죽임을 쓰는가? 그대가 착한 것을 하고자 하면 백성이 착할 것이니 군자의 덕은 바람이요 소인의 덕은 풀이다. 풀 위에 바람이 가면 반드시 쓰러지는 것이다." 고 하셨다.

20. Zizhang demandis: "Kia devas esti la klerulo, kiu povas esti nomata distingiĝa?" La Majstro diris: "Kion signifas via distingiĝo?" Zizhang respondis: "Tio estas: esti vaste konata kaj en la regno kaj en la feŭdo de iu granda oficisto." La Majstro diris: "Tio estas renomo, ne distingiĝo. La homo distingiĝa devas esti honesta kaj justama. Li estas sperta en pesado de alies vortoj

kaj en observado de alies mienoj. Li volonte humiligas sin al aliaj. Tia homo certe distingiĝas kaj en la regno kaj en la feŭdo de iu granda oficisto. Koncerne la homon, kiu amas renomon, li estas virta nur ŝajne, sed ne en siaj agoj, tamen li, kun nenia dubo pri si mem, pretendas esti virtema. Tia homo certe povas akiri al si renomon kaj en la regno kaj en la feŭdo de iu granda oficisto."

자장이 묻기를, "선비는 어떻게 해야 이에 명석하다고 이르는 것입니까?" 라고 하니 공자 말씀하시기를, "어떤 것이냐 네가 말한 명석이라는 것은?" 라고 하시니 자장이 대답하여 말하기를, "나라에 있어도 어떤 대부의 영지에 있어도 반드시 이름이 알려지는 것입니다." 고 하니 공자 말씀하시기를, "이것은 명예요, 명석이 아니다. 명석이라는 것은 정직하고 의를 좋아하며 말을 살피고 얼굴빛을 보아서 생각하여 사람에게 자신을 낮추는 것이니 그래야 나라에 있어서나 어떤 대부의 영지에 있어서도 반드시 명석한 것이다. 이름을 사랑하는 것은 안색으로 인을 취하여 행실은 그렇지 않지만 자신을 의심하지 않고 덕이 있다고 주장하니 나라에 있어도 어떤 대부의 영지에 있어도 반드시 이름이 알려지는 것이다." 고 하셨다.

21. Promenante kun la Majstro sub Pluv-altaro Fan Chi diris: "Mi arogas al mi demandi, kiel altigi la virton, korekti la kulpon kaj fari distingon inter la konfuziteco kaj nekonfuziteco de pensoj." La Majstro diris: "Vere bonan demandon vi faris! Se oni diligente laboras antaŭ ol rikolti sukceson, ĉu tio ne signifas altigi la virton? Se oni atakas sian propran malbonon kaj ne tiun de aliaj, ĉu tio ne signifas korekti la kulpon? Se pro momenta kolero oni forgesas sian memon kaj eĉ

siajn gepatrojn, ĉu tio ne estas ekzemplo de konfuziteco de pensoj?"

번지가 공자를 따라 우제단 아래에서 놀다가 말하기를, "덕을 높이고 잘못을 고치고 의혹을 분별하는 것을 감히 묻습니다." 고 하니 공자 말씀하시기를, "참 좋도다. 물음이여, 일을 먼저하고 얻음을 뒤에 하는 것이 덕을 높이는 것이 아니겠느냐? 자기의 악한 것을 탓하고 사람의 악한 것을 책망하지 아니하는 것이 잘못을 고치는 것이 아니겠느냐? 순간의 분노로 그 몸을 잊고 그 어버이까지 그러하니 의혹의 사례가 아니겠느냐?" 라고 하셨다.

22. Fan Chi demandis pri la perfekta virto. La Majstro diris: "Ĝi estas ami ĉiujn homojn." Li demandis pri la saĝeco de la reganto. La Majstro diris: "Ĝi estas bone koni ĉiujn homojn."

Fan Chi ne tuj komprenis ĉi tiujn respondojn. La Majstro aldonis: "Promociu la honestajn kaj postenigu ilin super la malhonestaj; tiamaniere la malhonestaj povos esti honestigitaj."

Fan Chi retiriĝis kaj, vidinte Zixia, diris al tiu: "Ĵus mi vizitis nian Majstron kaj demandis lin pri la saĝeco de la reganto. Li diris: 'Promociu la honestajn kaj postenigu ilin super la malhonestaj; tiamaniere la malhonestaj povos esti honestigitaj.' Kion signifas liaj vortoj?"

Zixia diris: "Vere signifoplenaj estas liaj vortoj! Kiam Shun ekregis la landon, li elektis Gaoyao el inter la sennombraj homoj kaj promociis lin al ministreco, kaj pro tio ĉiuj senvirtuloj malaperis. Kiam Tang ekregis la landon, li elektis Yiyin el inter la sennombraj homoj kaj promociis lin al ĉefministreco, kaj pro tio ĉiuj senvirtuloj malaperis."

번지가 인을 물으니 공자 말씀하시기를, "사람을 사랑하는 것이다." 고 하셨다. 통치자의 지혜를 물으니 공자 말씀하시기를, "사람을 잘 아는 것이다." 고 하셨다.

번지가 깨닫지 못하니 공자 말씀하시기를, "정직한 이를 들어 정직하지 못한 사람 위에 세우면 능히 굽은 이로 하여금 곧게 할 것이다." 고 하셨다.

번지가 물러가서 자하를 보고 말하기를, "지난번에 내가 부자를 뵙고 통치자의 지혜를 물으니, 공자 말씀하시기를, '정직한 이를 들어 정직하지 못한 사람 위에 세우면 능히 굽은 자로 하여금 곧게 할 것이다.' 고 하시니 무엇을 이르신 것인가?" 라고 했다

자하가 말하기를, "풍부하구나, 말씀이여. 순이 천하를 다스릴 때 무리에서 선택하여 고도를 천거하시니 어질지 아니한 자가 멀어졌다. 탕이 천하를 다스릴 때 무리에서 선택하여 이윤을 천거하시니 어질지 아니한 자가 멀어졌다." 고 하였다.

23. Zigong demandis pri la amikeco. La Majstro diris : "Fidele admonu vian amikon kaj lerte gvidu lin. Se tio malsukcesas, ĉesu. Ne kaŭzu malhonoron al vi."

자하가 우정을 물으니, 공자 말씀하시기를, "충성으로 고하고 착하게 인도하여 가하지 아니하면 그치어 스스로 욕되게 하지 말 것이다." 고 하셨다.

24. Majstro Zeng diris: "La nobluloj intimiĝas kun siaj amikoj sur literatura bazo kaj helpas sian virton per ilia amikeco."

증자가 이르기를, "군자는 글로써 벗을 모으고 우정으로 어진 덕을 돕는 것이다." 고 하셨다.

ĈAPITRO XIII ZI LU   제13장 자로

1. Zilu demandis pri la regado. La Majstro diris: "Donu virtan ekzemplon por la popolo kaj poste diligentigu ilin." Li petis pluan instruon. La Majstro diris: "Estu senlaca en ĉi tiuj aferoj."

자로가 정사를 물으니 공자 말씀하시기를, "먼저 백성들에게 덕있는 예를 보여 주고 열심은 내도록 하라" 고 하셨다. 자로가 더 가르침을 청하니 공자 말씀하시기를, "게으름이 없게 하라." 고 하셨다.

2. Zhonggong, fariĝinte intendanto de Ji-familio, demandis pri la regado. La Majstro diris: "Donu bonan ekzemplon por viaj subuloj, pardonu iliajn eraretojn, kaj promociu homojn virtajn kaj talentajn."
Zhonggong diris: "Kiel oni povas scii, kiuj estas virtaj kaj talentaj, por ke mi povu ilin promocii?" La Majstro diris: "Promociu tiujn, kiujn vi bone konas. Koncerne tiujn, kiujn vi ne bone konas, ĉu aliaj povos ilin neglekti?"

중궁이 계씨의 가신이 되어 정사를 물으니 공자 말씀하시기를, "아랫 사람에게 좋은 예를 보여 주고 적은 허물을 놓아주며, 어진 이와 유능한 이를 등용하는 것이다." 고 하셨다. 말하기를, "어찌 어진 이와 능한 이를 알아서 등용하오리까." 라고 하니 공자 말씀하시기를, "네가 아는 것으로 등용하면 알지 못하는 바를 사람이 무시하겠느냐." 라고 하셨다.

3. Zilu diris: "La princo de Wei atendas, ke vi venu al li kaj administru lian regnon. Kion, do vi opinios, vi antaŭ ĉio devas fari?"

La Majstro diris: "Tio certe estos ĝustigi nomojn."

Zilu diris: "Ĉu? Certe via diro havas nenian rilaton al la afero. Kial nomoj devas esti ĝustigitaj?"

La Majstro diris: "Kiel senklera vi estas, You! La noblulo, rilate kion li ne scias, plejofte prenas rezerviĝeman sintenon. Se nomoj ne estas ĝustaj, tiam kio estas dirita tio ne estas firme bazita; kaj se kio estas ne firme bazita, tio ne povas esti sukcese efektivigita. Se kio ne estas sukcese efektivigita, tiam la decreguloj kaj muziko ne prosperas. Se la decreguloj kaj muziko ne prosperas, tiam punoj ne trafas krimojn. Kaj se punoj ne trafas krimojn, tiam la popolo ne scias, kien meti siajn manojn kaj piedojn. Tial la nomoj, kiujn la nobluloj uzas, nepre devas esti adekvate diritaj, kaj tio, kio estas dirita, nepre devas esti adekvate efektivigita. Tial la nobluloj neniam devas diri senpripense."

자로가 말하기를, "위나라의 임금이 선생님을 기다려서 정사를 하시려 하는데, 선생님께서 장차 어느 것을 먼저 하시겠습니까." 라고 하니 공자 말씀하시기를, "반드시 이름을 바르게 할 것이다." 고 하셨다.

자로가 말하기를, "정말입니까? 확실히 말씀이 일에 아무런 관계가 없습니다. 어찌 바르게 하시겠습니까." 라고 하니 공자 말씀하시기를, "미련하구나, 자로여. 군자는 그 알지 못하는 바에는 대개 내성적인 태도를 취한다. 이름이 바르지 아니하면 말에 굳은 기초가 없고, 말에 굳은 기초가 없으면 일을 이룸이 없고, 일을 이루지 못하면 예악이 일어나지 아니하고, 예악이 일어나지 아니하면 형벌이 맞지 아니하고, 형벌이 맞지 아니하면 백성이 손과 발을 둘 바가 없게 된 것이다. 고로 군자가 이름을 사용한다면 반드시 말할 것이며, 말을 한다면 반드시 행할 것이니, 군자는 함부로 말해서는 안 된다." 고 하셨다.

4. Fan Chi petis instrui al li terkulturadon. La Majstro diris: "Mi ne estas tiel taŭga por tio, kiel veterana terkulturisto." Li petis instrui al li ankaŭ legomkulturadon, kaj la Majstro diris: "Mi ne estas tiel taŭga por tio, kiel veterana legomkulturisto."
Post kiam Fan Chi eliris, la Majstro diris: "Malgranda homo ja estas Fan Xu! Se la reganto amas la decon, la popolo ne kuraĝas ne respekti lin. Se li agas juste, la popolo ne kuraĝas ne submeti sin al lia ekzemplo. Se li estas sincera, la popolo ne kuraĝas ne diri la veron. Kiam ĉi tiuj aferoj ekzistas, homoj el ĉiuj lokoj venos al li, portante surdorse siajn infanojn. Kial do li bezonas sin okupi pri terkulturado?"
번지가 농사짓는 법을 배우기를 청하니 공자 말씀하시기를, "나는 늙은 농부만 같지 못하다." 고 하셨다. 번지가 채소 가꾸는 법 배우기를 청하니 공자 말씀하시기를, "나는 채소 가꾸는 늙은 농부만 못하다." 고 하셨다. 번지가 나가니 공자 말씀하시기를, "번지는 소인이구나! 위에서 예를 좋아하면 백성이 감히 공경치 아니 할 리 없고 위에서 의를 좋아하면 백성이 감히 복종하지 않을 리 없으며 위에서 믿음을 좋아하면 백성이 감히 진실을 말하지 아니할 리 없을 것이니 이와 같으면서 사방의 백성이 그 아들을 업고 이를 것이니 어찌 농사짓는 것을 쓰겠느냐." 라고 하셨다.

5. La Majstro diris: "Homo povas reciti la Tricent Poemojn, sed, postenigite al registara ofico, li ne scias kiel agi, aŭ, sendite al alia regno kun komisio, li ne

kapablas lerte fari traktadon sen helpo de aliaj. Eĉ se tia homo estas leginta multajn librojn, kian utilon do tio povas alporti al li?"

공자 말씀하시기를, "시 삼백 편을 외우고도 정사를 맡아서 통달하지 못하고 다른 나라에 사신으로 가서 능히 홀로 응대하지 못하면 비록 책을 많이 읽었으나 또한 무엇에 쓰겠느냐." 라고 하셨다.

6. La Majstro diris: "Kiam la reganto dece kondutas, ĉio iras bone, eĉ se li ne donas ordonojn. Sed se li ne dece kondutas, eĉ se li donas ordonojn, oni ne obeas lin."

공자 말씀하시기를, "지도자가 바르면 명령하지 아니하여도 행하고 바르지 아니하면 비록 명령을 해도 좋지 아니한다." 고 하셨다.

7. La Majstro diris: "La regado de Lu-regno kaj tiu de Wei-regno estas fratoj."

공자 말씀하시기를, "노나라와 위나라의 정사는 형제로다." 고 하셨다.

8. Koncerne Jing, princidon de Wei, la Majstro diris : "Li bone scias la familian ekonomion. Kiam li komencis havi posedaĵon, li diris: "Ha! preskaŭ sufiĉe! Kiam la posedaĵo iom plimultiĝis, li diris: 'Ha! preskaŭ komplete!' Kiam li fariĝis riĉa, li diris: 'Ha! preskaŭ lukse!'"

공자께서 위나라 공자 형을 이르시기를, "그는 살림살이를 잘한다. 비로소 있음에 '제법 모여졌다.' 고 하고 조금 늚음에 말하기를 '약간 완전하다.' 고 하였다. 부하게 됨에 '아주 사치롭다.' 고 하였다." 고 하셨다.

9. Kiam la Majstro veturis al Wei-regno, Ran You kondukis lian kaleŝon. La Majstro diris: "Kiel grandnombra estas la popolo!"
Ran You demandis: "Nun kiam la popolo estas grandnombra, kio pli devas esti farita por ili?" "Riĉigu ilin," estis la respondo.
"Kaj kiam ili jam estas riĉigitaj, kio pli devas esti farita?" La Majstro respondis: "Instruu ilin."
공자께서 위나라에 가실 적에 염유가 수레를 안내하는데 공자 말씀하시기를, "백성이 많구나." 라고 하셨다.
염유가 말하기를, "이미 백성이 많은데 또 무엇을 더하겠습니까" 고 말하니 공자 말씀하시기를, "부유하게 할 것이다." 고 하셨다.
염유가 말하기를, "이미 부하면, 또 무엇을 더하겠읍니까." 고 하니 공자 말씀하시기를, "가르쳐야 한다." 고 하셨다.

10. La Majstro diris: "Se iu princo komisius al mi la regadon de sia regno, en la daŭro de dek du monatoj mi farus ion konsiderindan. En tri jaroj la regado estus perfektigita."
공자 말씀하시기를, "진실로 나를 쓰는 자가 있다면 일 년만이라도 웬만한 성과를 낼 것이니 삼 년이면 부강한 나라가 될 것이다." 고 하셨다.

11. La Majstro diris: "Se bonaj homoj regus regnon dum cent jaroj sinsekve, ili povus venki la brutalecon kaj nenecesigi la mortpunojn. Pravaj ja estas ĉi tiuj vortoj!"
공자 말씀하시기를, "착한 사람이 나라를 계속해서 백년을 다스리면 해하는 것을 극복하고 죽이는 것을 버릴 것이다. 옳도다! 이 말씀이여!" 라고 하셨다.

12. La Majstro diris: "Se aperus vere bona reĝo, li certe bezonus tridek jarojn, por igi la virton regi en la lando."
공자 말씀하시기를, "만일 좋은 왕이 나타나도 백성을 어질게 다스리는 데 반드시 한 세대가 필요할 것이다." 고 하셨다.

13. La Majstro diris: "Se la reganto faras sian konduton laŭdeca, kian malfacilon li havos en sia regado? Se li ne povas fari sian konduton laŭdeca, kiel do li povus laŭdecigi aliajn?"
공자 말씀하시기를, "진실로 그 몸을 바르게 하면 정사를 좇는 것에 어떤 어려움이 있으며, 능히 그 몸을 바르게 하지 못하면 사람을 바르게 하는 것은 어찌 하겠느냐." 라고 하셨다.

14. Kiam Ran You revenis el sia oficejo, la Majstro demandis al li: "Kial vi revenas tiel malfrue?" Li respondis: "Mi havis registarajn aferojn." La Majstro diris: "Certe nur ordinarajn aferojn. Se troviĝus gravaj aferoj, kvankam mi nun ne estas en ofico, mi devus esti konsultita pri ili."
염유가 조회에서 물러나오니, 공자 말씀하시기를, "어찌 늦었느냐." 고 하시니 염유가 대답하기를, "정사가 있었습니다." 라고 하니 공자 말씀하시기를, "그 집 일이구나. 만일 정사가 있었다면 비록 나를 쓰지 아니하더라도 내 더불어 들을 것이다." 고 하셨다.

15. La princo Ding demandis: "Ĉu ekzistas tia afero,

ke unu sola frazo povus prosperigi regnon?"

Konfuceo respondis: "Tia rezulto ne povas esti atendata el unu frazo. Tamen troviĝas popoldiro - 'Princi estas malfacile; ministri ne estas facile.' Se princo, sciante la malfacilecon esti princo, regas kun zorga konscienceco, ĉu tio ne estas proksima al la prosperigo de regno fare de unu sola frazo?"

La princo Ding ree demandis: "Ĉu ekzistas tia afero, ke unu sola frazo povus ruinigi regnon?"

Konfuceo respondis: "Tia rezulto ne povas esti atendata el unu frazo. Tamen troviĝas popoldiro - 'Mi, estante princo, havas nenian alian plezuron, ol mi neniam estas malobeata en tio, kion mi diras.' Se la vortoj diritaj de reganto estas bonaj kaj neniu malobeas lin, ĉu ankaŭ tio ne estas bona? Sed se la vortoj diritaj de li ne estas bonaj, kaj neniu malobeas lin, ĉu tio ne estas proksima al la ruinigo de regno fare de unu sola frazo?"

정공이 묻기를, "한 마디 말에 나라가 흥하리라고 하니 그런 일이 있습니까" 라고 하니 공자가 대답하여 말하기를, "말을 가히 이와 같이 기약할 수 없거니와 사람의 말에 이르기를, '임금됨이 어려우며 신하됨이 쉽지 아니하다.' 고 하였으니 만일 임금됨이 어려운 줄을 안다면 한 마디 말로 나라를 훌륭하게 하는 것을 기약하지 아니 하겠습니까." 라고 하셨다.

말하기를, "한 마디 말에 나라를 잃는다고 하니 그런 일이 있습니까." 라고 하니 공자 대답하시기를, "말을 이와 같이 기약하지는 못하지마는 사람의 말에 이르기를, '내가 임금이 되어 어느 누구도 나의 말을 거역하지 않는 것보다 다른 즐거움이 없다.' 고 하였으니 만일 그 착하고 어기지 아니하면 또한 착하지 아니하겠습니까? 만일 착하지 아니하고 어기지 아니한다면 한마디 말에 나라를 잃을 것을 기약하지 아니하겠습니까." 라고 하셨다.

16. La duko de She demandis pri la regado. La Majstro diris: "Bona regado estiĝas tiam, kiam tiuj, kiuj loĝas proksime, estas feliĉaj, kaj tiuj, kiuj loĝas malproksime, estas altirataj."
섭공이 정사를 물으니 공자 말씀하시기를, "가까운 자는 기쁘게 하고 먼 데 있는 자는 오게 하는 것이다." 라고 하셨다.

17. Zixia, fariĝinte prefekto de Jufu, demandis pri la regado. La Majstro diris: "Ne deziru troan rapidecon, nek rigardu malgrandajn profitojn. Se vi deziras troan rapidecon, vi ne atingos sukceson; kaj se vi fiksas la rigardon sur malgrandaj profitoj, grandaj aferoj ne estos plenumitaj."
자하가 거보의 수령이 되어 정사를 물으니, 공자 말씀하시기를, "속히 하려고 하지 말고 작은 이익을 보지 말 것이니 속히 하려고 하면 달하지 못하고 작은 이익을 보면 큰일을 이루지 못할 것이다." 라고 하셨다.

18. La duko de She informis Konfuceon: "En mia hejmloko estas homo honesta. Foje lia patro ŝtelis ŝafon, kaj li denuncis sian patron pri la ŝtelo." Konfuceo diris: "En mia hejmloko la honestuloj estas diferencaj de tiu homo. La patro kaŝas la miskonduton de la filo, kaj la filo kaŝas la miskonduton de la patro. Honesteco ja troviĝas en tio ĉi."
섭공이 공자에게 말하여 이르기를, "우리 고을에 정직한 자가 있으니, 그 아비가 남의 양을 훔친 것을 그 자식이 가서 증언하였습니다." 고 하니 공자 말씀하시기를, "우리 고장의 정직한 자는 이와 다르니 아비는 자식의 잘못을 숨기고 자식은 아비의 잘못을 숨기니 정직함이 그 가운데 있습니다." 라고 하셨다.

19. Fan Chi demandis pri la perfekta virto. La Majstro diris: "Ĝi estas, en la ĉiutaga vivo, seriozeco; en la administrado de aferoj - diligenteco; en rilatoj kun aliaj - sincereco. Ĉi tiuj kvalitoj ne povas esti neglektataj eĉ inter krudaj nekulturitaj triboj."
번지가 인을 물으니, 공자 말씀하시기를, "거처하는 것을 진지하게 하며 일은 부지런히 하고 사람과 더불어 진실하며 비록 오랑캐에 가더라도 이 점을 버리지 못할 것이다." 라고 하셨다.

20. Zigong demandis: "Kiajn kvalitojn oni devas posedi, por esti klerulo?" La Majstro diris: "Tiu, kiu en sia konduto konservas hontosenton kaj, sendite al alia regno, ne malhonoras komision de sia princo, meritas esti klerulo."
Zigong daŭrigis: "Ĉu vi permesas al mi demandi, kiu povas esti rigardata kiel klerulo malpli bona?" La Majstro diris: "Tiu, kiun liaj parencoj laŭdas pri lia fideleco al siaj gepatroj, kaj kiun liaj samlokanoj kaj najbaroj laŭdas pri lia respektemo al siaj pli aĝaj fratoj."
La disĉiplo ree demandis: "Ĉu vi permesas al mi demandi pri klerulo ankoraŭ malpli bona?" La Majstro diris: "Li estas nepre sincera en tio, kion li diras, kaj nepre efektivigas tion, kion li faras. Li estas obstina

malgranda homo! Tamen li povas esti rigardata kiel klerulo ankoraŭ malpli bona."

Zigong fine demandis: "Kiaspecaj do estas tiuj de la nuna tempo, kiuj sin okupas pri registaraj aferoj?" La Majstro diris: "Ba! tiuj malgrandanimuloj ne meritas konsideron!"

자공이 묻기를, "어찌하여야 이에 선비라고 하겠읍니까." 라고 하니 공자 말씀하시기를, "몸으로 행함에 부끄러운 것이 없으며 사방에 사절로 가라는 임금의 명을 욕되게 아니 하면 선비라고 이를 것이다." 고 하셨다.

자공이 말하기를, "감히 그 다음을 묻습니다." 고 하니 공자 말씀하시기를, "친척들이 다 효라 일컫고 향당이 다 공손하다고 일컬어야 할 것이다." 고 하셨다. 자공이 말하기를, "감히 그 다음을 묻습니다." 고 하니 공자 말씀하시기를, "말을 반드시 미쁘게 하며, 행함을 반드시 과단하게 하는 것이 옹색한 소인이나 또한 가히 다음이 될 것이다." 고 하셨다.

자공이 마지막으로 말하기를, "지금 정사를 맡은 자는 어떠합니까" 라고 하니 공자 말씀하시기를, "아! 도량이 좁은 사람을 어찌 족히 헤아리오." 하셨다.

21. La Majstro diris: "Se mi ne povus trovi homojn sekvantajn la Ĝustan Mezon, kun kiuj mi povus havi rilatojn, mi preferus la fervorajn kaj la singardemajn. La fervoraj havas entreprenemon; la singardemaj detenas sin de tio, kio estas malbona."

공자 말씀하시기를, "중용의 도를 얻어서 더불지 못한다면 나는 열심 있고 신중한 사람을 선호할 것이다. 열성적인 사람은 진취적이고 신중한 사람은 악한 것을 멀리하느니라." 고 하셨다.

22. La Majstro diris: "La suduloj havas proverbon: 'Homo sen konstanteco ne povas esti eĉ sorĉisto-kuracisto.' Prave!"

En «Libro de ŝanĝiĝoj» estas dirite: "Nekonstanta en sia virto, li pli aŭ malpli frue hontigos sin mem." La Majstro diris: "Tio signifas nur, ke al tiu, kiu ne havas konstantecon, ne necesas fari divenadon per Ok Diagramoj."

공자 말씀하시기를, "남방 사람이 한 말에 이르기를, '사람이 항구한 마음이 없으면 무당과 의원도 되지 못한다.'고 하였으니 맞도다." 고 하셨다. 『주역』에 이르기를 "그 덕행을 항구하게 하지 아니하면 혹 부끄러움에 나아갈 것이라." 고 했다. 공자 말씀하시기를, "단지 항구한 마음이 없으면 팔도로 점을 칠 필요가 없다는 뜻일 뿐이다." 고 하셨다.

23. La Majstro diris: "La nobluloj akordigas, sed ne flatas; la malgrandaj homoj flatas, sed ne akordigas."

공자 말씀하시기를, "군자는 조화할지언정 아첨하지 아니하고 소인은 아첨하고 조화하지 못한다." 고 하셨다.

24. Zigong demandis: "Kion vi diras pri homo, kiu estas laŭdataj de ĉiuj loĝantoj en sia vilaĝo?" La Majstro respondis: "Tio ne estas sufiĉa por doni mian aprobon al li."

"Kaj kion vi diras pri tiu, kiu estas malamata de ĉiuj loĝantoj en sia vilaĝo?" La Majstro diris: "Ankaŭ tio ne estas sufiĉa por fari konkludon. Pli bone estus se, inter la loĝantoj en lia vilaĝo, la bonaj laŭdus lin kaj la malbonaj malamus lin."

자공이 묻기를, "향인이 다 좋아하면 어떠합니까." 고 하니 공자 말씀하시기를, "옳지 아니하다." 고 하셨다.

"향인이 다 미워하면 어떠합니까." 고 하니 공자 말씀하시기를, "옳지 아니하다. 향인 중에서 선한 사람은 그를 칭찬하고 악한 사람은 그를 미워하는 것이 더 좋을 것이다." 고 하셨다.

25. La Majstro diris: "Servi sub noblulo estas facile kaj plaĉi al li estas malfacile. Se vi penas plaĉi al li en tia maniero, kiu ne estas konforma al la virto, vi neniel povas plaĉi al li. Sed en lia dungado de homoj, li uzas ilin laŭ ilia kapablo. Servi sub malgranda homo estas malfacile kaj plaĉi al li estas facile. Se vi penas plaĉi al li, kvankam la maniero ne estas konforma al la virto, vi povas facile plaĉi al li. Sed en lia dungado de homoj, li postulas, ke ili estu kapablaj je ĉio."

공자 말씀하시기를, "군자를 섬기는 것은 쉬우나 기쁘게 하는 것은 어려우니 기쁘게 하는 것은 도로써 하지 아니하면 기뻐하지 아니하고 사람을 부림에 미쳐서는 기량대로 할 것이다. 소인을 섬기는 것은 어려우나 기쁘게 하는 것은 쉬우니 기쁘게 함을 비록 도로써 아니하여도 기뻐하고 그 사람을 부림에 미쳐서는 갖춤을 구한다." 고 하셨다.

26. La Majstro diris: "La nobluloj estas dignoplenaj, sed neniam arogantaj; la malgrandaj homoj estas arogantaj, sed neniam dignoplenaj."

공자 말씀하시기를, "군자는 위엄이 있으나 교만하지 아니하고 소인은 교만하나 위엄이 없다." 고 하셨다.

27. La Majstro diris: "Tiu, kiu estas firma, persistema,

modesta kaj diskreta, estas proksima al la perfekta virto.”

공자 말씀하시기를, “성격이 강하고 굳세고 겸손하고 신중한 것이 어짊에 가까운 것이다.” 고 하셨다.

28. Zilu demandis: “Kiajn kvalitojn oni devas posedi, por esti klerulo?” La Majstro diris: “Li devas esti bonintence kritikema kaj indulge milda: - inter siaj amikoj bonintence kritikema; inter siaj fratoj indulge milda.”

자로가 묻기를, “어찌해야 이에 선비라고 이르겠습니까.” 라고 하니 공자 말씀하시기를, “간곡하게 권면하고 화목하며 기뻐하는 것같이 하면 선비라고 이를 것이니 벗에게는 간곡하게 권면하고 격려하는 것이요 형제에게는 화목하고 즐거워해야 할 것이다.” 고 하셨다.

29. La Majstro diris: “Se homo vere bona instruas la popolon sep jarojn, ili ankaŭ povos esti senditaj kiel soldatoj en militon.”

공자 말씀하시기를, “착한 사람이 백성을 가르친 지 칠 년이면 또 한 싸움에 나아갈 것이다.” 고 하셨다.

30. La Majstro diris: “Sendi netrejnitan popolon en militon signfias ilin forĵeti.”

공자 말씀하시기를, “훈련받지 아니한 백성으로써 싸우게 하면 이 것은 백성을 버리는 것이다.” 고 하셨다.

ĈAPITRO XIV XIAN WEN   제14장 헌문

1. Xian demandis, kio estas honto. La Majstro diris: "Kiam la regno estas administrata de saĝa kaj honesta registaro, oni povas esti ĝia oficisto kaj ricevi salajron; sed, kiam la regno estas administrata de malluma kaj koruptita registaro, estas honto funkcii kiel ĝia salajrata oficisto."

"Ĉu tiuj, kiuj estas liberaj de superemo, fanfaronemo, malpardonemo kaj avideco, povas esti nomataj homoj de perfekta virto?" La Majstro diris: "Ili povas esti rigardataj kiel bonaj homoj malfacile troveblaj, sed ĉu ili povas esti kalkulataj kiel homoj de perfekta virto, mi ne scias."

원헌이 수치를 물으니, 공자 말씀하시기를, "나라에 도가 있을 때 녹을 먹을 수 있지만 나라에 도가 없을 때 녹을 먹는 것이 부끄러운 것이다." 고 하셨다.

원헌이 말하기를, "이기길 좋아하고 자랑하며, 원망하고, 탐욕함을 행하지 아니하면 어질다고 하겠습니까." 라고 하니 공자 말씀하시기를, "찾기가 어렵겠지만 어진 것은 내가 알지 못 하겠다." 고 하셨다.

2. La Majstro diris: "La kleruloj, kies koro kroĉiĝas al komforto, ne meritas esti rigardataj kiel kleruloj."

공자 말씀하시기를, "선비로서 편안한 것을 생각하면 선비라고 하지 못할 것이다." 고 하셨다.

3. La Majstro diris: "Kiam la regno estas bone regata, oni estas honesta en siaj paroloj kaj agoj. Kiam la regno estas malbone regata, oni estas honesta en siaj

agoj sed deteniĝema en siaj paroloj."

공자 말씀하시기를, "나라에 도가 있으면 말과 행실을 높게 하고, 나라에 도가 없으면 행실은 정직하되 말은 겸손하게 할 것이다." 고 하셨다.

4. La Majstro diris: "Tiu, kiu havas moralan povon, certe posedas ankaŭ famajn dirojn; sed tiu, kiu havas famajn dirojn, ne nepre posedas moralan povon. La virta homo certe posedas kuraĝon; sed kuraĝa homo ne nepre estas virta."

공자 말씀하시기를, "덕이 있는 자는 반드시 말이 있지마는 말이 있는 자라고 반드시 덕이 있는 것은 아니다. 어진 자는 반드시 용맹이 있지마는 용맹이 있는 자라고 반드시 어진 것은 아니다." 고 하셨다.

5. Nangong Kuo demandis Konfuceon: "Yi estis lerta en arkpafado, kaj Ao estis bona kondukanto de ŝipbatalo, sed neniu el ili mortis naturan morton. Yu kaj Ji mem faris terkulturadon, kaj ili fariĝis posedantoj de la lando. Kial do estis tiel?" La Majstro faris nenian respondon.

Post kiam Nangong Kuo eliris, la Majstro diris: "Noblulo ja estas tiu ĉi homo! Estimanto de alta moralo ja estas tiu ĉi homo!"

남궁괄이 공자에게 묻기를, "예는 활쏘기를 잘하였고 오는 배싸움을 이끌었으나 아무도 제명에 죽지 않았습니다. 그러나 우와 후직은 몸소 농사를 지었으되 천하를 가지셨습니다. 왜 그렇습니까" 라고 하니 대답치 아니 하시더니 남궁괄이 나아가거 공자 말씀하시기를, "군자로구나. 이와 같은 사람이여, 덕을 숭상하는 사람이구나,

- 155 -

이와 같은 사람이여" 라고 하셨다.

6. La Majstro diris: "Inter homoj en alta situacio probable ekzistas tiuj, kiuj ne estas virtaj; sed malgranda homo, kiu samtempe estas virta, neniam ekzistas."
공자 말씀하시기를, "군자로서 어질지 못한 자는 있지마는 소인으로서 어진 자는 있지 아니하다." 고 하셨다.

7. La Majstro diris: "Se vi amas iun homon, kiel vi povas ne penlaborigi lin? Kaj se vi estas lojala al li, kiel vi povas ne doni al li admonon?"
공자 말씀하시기를, "누군가를 사랑하면 능히 수고롭게 하지 말 것인가. 임금에게 충성하면 그 잘못을 간하지 말 것인가" 라고 하셨다.

8. La Majstro diris: "En preparo de la leĝaj dokumentoj kaj dekretoj de Zheng-regno Bi Chen unue faris la malneton; Shi Shu ekzamenis ĝian enhavon kaj donis siajn opiniojn; Ziyu, diplomato, poste faris aldonojn aŭ modifon; kaj, fine, Zichan de Dongli donis al ĝi finan poluradon."
공자 말씀하시기를, "정나라의 법률 문서와 칙령을 준비하면서 비심이 초하여 짓고 세숙이 내용을 점검하고 의견을 주면 외교가인 자우가 나중에 첨가하거나 수정하고 마지막으로 동리의 자산이 문채를 더하였다." 고 하셨다.

9. Oni demandis pri Zichan. La Majstro diris: "Li estis bonkora homo."

Li demandis pri Zixi. La Majstro diris: "Tiu homo! Tiu homo!"

Li demandis pri Guan Zhong. La Majstro diris: "Li estis kompetentulo. Li senigis la ĉefon de Bo-familio je lia feŭdo Pianyi kun tricent familioj kaj igis lin manĝi nur krudan grenon, tamen tiu eldiris neniun plendan vorton ĝis la morto."

어떤 사람이 자산을 물으니, 공자 말씀하시기를, "자혜로운 사람이다." 고 하셨다. 자서를 물으니, 공자 말씀하시기를, "그 사람말이냐, 그 사람말이냐." 라고 하셨다.

관중을 물으니, 공자 말씀하시기를, "이 사람은 전문가로 백씨 가문의 영지인 피안이에서 300호와 함께 우두머리를 빼앗았다. 거친 밥만 먹게 했으나 죽을 때까지 원망은 한 마디도 하지 아니하더라." 고 하셨다.

10. La Majstro diris: "Vivi en malriĉeco sen plendoj estas malfacile. Vivi en riĉeco sen fiero estas facile."

공자 말씀하시기를, "가난하고 원망이 없기는 어렵고 부하고 교만한 것이 없기는 쉬운 것이다." 고 하셨다.

11. La Majstro diris: "Meng Gongchuo estas pli ol taŭga por esti vasalo al la familioj de Zhao kaj Wei, sed li ne estas taŭga por esti granda oficisto de la malgrandaj regnoj Teng kaj Xue."

공자 말씀하시기를, "맹공작이 조나라와 위나라의 가신이 되는 것은 충분하지만 작은 등나라와 설나라의 대부는 될 수 없다." 고 하셨다.

12. Zilu demandis, kio konsistigas kompletan homon.

La Majstro diris: "Supozu homon kun la saĝo de Zang
Wuzhong, la malavideco de Meng Gongchuo, la
braveco de Zhuangzi de Bian, kaj la multflankaj
talentoj de Ran Qiu kaj aldonu al tiuj ĉi kvalitoj la
kulturitecon pri la decreguloj kaj muziko; tia homo
povus esti kalkulata kiel kompleta homo." Li poste
aldonis: "Sed kial do necesas al la nuntempa kompleta
homo havi ĉi tiujn kvalitojn? La homo, kiu, vidante
profiton, pensas pri justeco; kiu, vidante danĝeron,
estas preta fordoni sian vivon; kaj kiu ne forgesas siajn
malnovajn promesojn, kiel ajn longe li vivas en mizero;
tia homo nun povas esti kalkulata kiel kompleta
homo."

자로가 성인을 물으니, 공자 말씀하시기를, "장무중의 지혜와 맹공
작의 탐욕하지 아니하는 것과 변장자의 용맹과 염구의 재주에다가
예와 악으로써 문채를 내면 또한 성인이 될 것이다." 고 하셨다.
공자 말씀하시기를, "오늘날 이룬 자가 어찌 반드시 그러하겠느냐
이익을 보고 의를 생각하며 위태한 것을 보고 명을 주며 오래도록
비참하게 살아도 옛 약속을 잊지 않는다면 가히 성인이 될 수 있을
것이다." 고 하셨다.

13. La Majstro demandis Gongming Jia pri Gongshu
Wen: "Ĉu estas vere, ke via mastro ne parolas, nek
ridas, nek faras prenon?"
Gongming Jia respondis: "Tio estas malvera raporto.
Mia mastro parolas tiam, kiam estas la tempo por
paroli, kaj tial oni ne antipatias liajn parolojn. Li ridas
tiam, kiam prezentiĝas okazo por ridi, kaj tial oni ne
antipatias lian ridon. Li faras prenon tiam, kiam la

preno estas konforma al justeco, kaj tial oni ne antipatias lian prenon."

La Majstro diris: "Ĉu tiel estas? Ĉu vere tiel estas?"

공자께서 공숙문자를 공명가에게 물으시기를, "진실로 그 분이 말하지 아니하며 웃지 아니하며 취하지 아니하느냐." 라고 하셨다.

공명가가 대답하기를, "고한 사람이 지나쳤습니다. 그가 때가 되면 말하는지라 사람이 그 말을 싫어하지 아니하며 웃을 일에 웃는지라 사람이 그 웃는 것을 싫어하지 아니하며 의에 맞게 취하는 지라 사람이 그 취하는 것을 싫어하지 아니하였습니다." 고 하니 공자 말씀하시기를, "그러한가? 정말 그러하리오?" 라고 하셨다.

14. La Majstro diris: "Zang Wuzhong, sin apogante sur la de li posedata urbo Fang, postulis, ke la princo de Lu-regno nomumu liajn posteulojn ministroj kaj nobeloj. Kvankam oni diris, ke li ne uzis forton kontraŭ sia suvereno, tamen tion mi ne kredas."

공자 말씀하시기를, "장무중이 방에 웅거하여 자기 후손을 신하로 삼을 것을 노나라에 구하여 비록 말하기를 임금에게 강요하지 아니한다 하지마는 내가 믿을 수 없다." 고 하셨다.

15. La Majstro diris: "La princo Wen de Jin estis ruza kaj ne honesta. La princo Huan de Qi estis honesta kaj ne ruza."

공자 말씀하시기를, "진나라 문공은 교활하고 바르지 아니하며 제나라 환공은 바르고 교활하지 아니한다." 고 하셨다.

16. Zilu diris: "La princo Huan kaŭzis, ke lia pli aĝa frato Jiu estis mortigita, kaj pro tio Shao Hu sin mortigis kun la mastro, sed Guan Zhong ne mortis."

Poste li demandis : "Ĉu oni povas diri, ke Guan Zhong estis homo sen virto?" La Majstro diris: "La princo Huan multfoje kunvenis kun diversregnaj princoj kaj tiel evitis uzi armilojn kaj militĉarojn: tio efektiviĝis dank'al la influo de Guan Zhong. Jen la virto de Guan Zhong. Jen la virto de Guan Zhong."

자로가 말하기를 "환공이 형인 공자 규를 죽게 하여 소홀은 주인과 함께 자살하였지만 관중은 죽지 않았습니다." 고 했다. 그 뒤 그는 "관중이 덕이 없는 사람이라고 말할 수 있습니까?" 라고 물었다. 공자께서 말씀하시기를 "환공이 여러 제후를 만나서 무기와 병거를 피했는데, 이는 관중의 영향을 받은 덕분이다. 이것이 관중의 덕이 다. 이것이 관중의 덕이다." 고 하셨다.

17. Zigong diris: "Ĉu oni povas diri, ke Guan Zhong estis homo sen virto? Kiam la princo Huan kaŭzis, ke lia pliaĝa frato estis mortigita, Guan Zhong ne mortis kun li. Plie, li eĉ fariĝis ĉefministro al Huan." La Majstro diris: "Guan Zhong funkciis kiel ĉefministro al la princo Huan, helpis al li fariĝi ĉefo super ĉiuj princoj, kaj ĝustigis ĉion ne ĝustan sub la ĉielo. Nun la popolo ankoraŭ ĝuas la donacojn, kiujn li faris al ni. Sen Guan Zhong nun ni eble ankoraŭ portus niajn harojn neligitajn, kaj niaj jakoj ankoraŭ butonumiĝus ĉe la maldekstra flanko! Ĉu oni povus postuli de li la malgrandan fidelecon de ordinaraj viroj kaj ordinaraj virinoj, kiuj sin mortigus en valo, sen kono de aliaj ?"

자공이 말하기를, "관중은 어진 자가 아니라고 말할 수 있습니까? 환공이 형을 죽게 했는데 관중은 죽지 않고 환공의 대신이 되었습 니다." 고 했다.

공자 말씀하시기를, "관중이 환공을 도와서 제후의 패자가 되어한 번 천하를 바르게 하니, 백성이 지금에 이르기까지 그 주는 것을 받으니, 관중이 없었다면 우리는 모두 머리를 헤치고 옷섶을 왼편으로 하는 오랑캐가 되었을 것이다. 어찌 스스로 계곡에서 자살하는 필부와 같은 조그만 신의를 그에게 요구할 수 있겠느냐." 라고 하셨다.

18. La granda oficisto Xun, kiu antaŭe estis vasalo de Gongshu Wen, estis rekomendita de Gongshu Wen kaj, kune kun tiu, estis promociita al ministreco de la princo. La Majstro, aŭdinte pri tio, diris: "Gongshu ja meritas la postmortan titolon Wen (la Virta)."

공숙문자의 신하였던 대부 선이 공숙문자의 추천으로 함께 조정의 대신으로 영전하였더니 공자께서 들으시고 말씀하시기를, "공숙문자는 시호를 문(덕)이라고 할 만하도다." 고 하셨다.

19. Kiam la Majstro parolis pri la senmoraleco de la princo Ling de Wei, Ji Kang diris: "Havante tian senmoralan naturon, kial do li ne perdas sian regnon?" Konfuceo diris: "Zhongshu Yu prizorgas la akceptadon de liaj aliregnaj gastoj. Zhu Tuo administras lian prapatran templon. Wangsun Jia komandas la armeojn. Kun la subuloj kiaj tiuj ĉi, kiel li povus perdi sian regnon?"

공자께서 위나라 영공이 도가 없는 것을 말씀하시니 계강자가 말하기를, "이와 같으면서 어찌 지위를 잃지 아니합니까." 라고 하였다. 공자 말씀하시기를, "중숙어는 빈객을 다스리고 축타는 종묘를 다스리고 왕손가는 군사를 다스렸으니 이런 일을 하였는데 어찌 그지위를 잃겠느냐." 고 하셨다.

20. La Majstro diris : "Tiu, kiu parolas sen modesteco, trovos malfacila efektivigi siajn vortojn."

공자 말씀하시기를, "그 말이 겸손하지 않으면 실행하는 것이 어려운 것이다." 고 하셨다.

21. Chen Cheng murdis la princon Jian de Ji-regno. Aŭdinte pri tio, Konfuceo sin banis, iris al la princa palaco de Lu-regno kaj informis la princon Ai : "Chen Heng mortigis sian suverenon. Mi petas, ke vi lin punu." La princo diris : "Informu la ĉefojn de la tri familioj pri tio."

Konfuceo retiriĝis kaj diris: "Ĉar mi iam estis granda oficisto, mi ne kuraĝas ne raporti tion, sed mia princo diris al mi: 'Informu la ĉefojn de la tri familioj pri tio.'"

Li iris al la ĉefoj kaj informis ilin, sed ili ne volis agi. Konfuceo do diris: "Ĉar mi iam estis granda oficisto, mi ne kuraĝas ne raporti tion al vi."

진성자가 간공을 죽이니 공자께서 목욕하고 조회하시어 애공에게 고하여 말씀하시기를, "진항이 그 임금을 죽였으니 청컨대 토벌하십시오." 라고 하셨다.

공이 말하기를, "저 세 사람에게 고하라." 고 하였다.

공자가 물러나 말씀하시기를, "내가 언젠가 대부였기 때문에 감히 고하지 아니할 수 없구나. 애공이 말씀하시기를, '저 세 사람에게 고하라.' 고 명령하셨다." 고 하셨다.

공자께서 세 집안에 가서 고했으나 그들이 행동하려고 하지 않으니 말씀하시기를, "내가 언젠가 대부였기 때문에 감히 고하지 아니할 수 없는 것이다." 고 하셨다.

22. Zilu demandis kiel servi la princon. La Majstro diris: "Ne trompu lin kaj, se necese, kontraŭstaru lin ĝuste en la vizaĝon."

자로가 임금 섬기는 것을 물으니 공자 말씀하시기를, "임금을 속이지 말고 필요할 때면 대면해서 바르게 간하는 것이다." 고 하셨다.

23. La Majstro diris: "La nobluloj supreniras al la virto kaj justo; la malgrandaj homoj malsupreniras al riĉeco kaj profito."

공자 말씀하시기를, "군자는 덕과 정의를 위해 위로 가고 소인은 부와 이익을 위해 아래로 간다." 고 하셨다.

24. La Majstro diris: "En la antikveco oni lernis kun la celo perfektigi sin mem. Nuntempe oni lernas kun la celo rikolti alies laŭdon."

공자 말씀하시기를, "옛날 배우는 사람은 자기를 완성하려고 하였는데 오늘날 배우는 사람은 남의 칭찬을 받으려고 한다." 고 하셨다.

25. Qu Boyu sendis senditon kun amikaj salutoj al Konfuceo. Konfuceo sidigis la senditon kaj demandis lin: "Pri kio nun via mastro sin okupas?" La sendito respondis: "Mia mastro deziras malmultigi siajn kulpojn, sed li ankoraŭ ne sukcesas."

Post kiam la sendito eliris, la Majstro diris: "Vere bona sendito! Vere bona sendito!"

거백옥이 사람을 시켜 공자에게 문안을 드리거늘 공자 더불어 앉아서 묻기를, "그 분은 무슨 일을 하느냐." 고 하시니 대답하기를, "그 분은 허물을 적게 하려하나 능히 하지 못합니다." 고 하였다.

사자가 나아니 공자께서 말씀하시기를, "정말 좋은 사자로다, 정말 좋은 사자로다." 라고 하셨다.

26. La Majstro diris: "Tiu, kiu ne okupas tiun postenon, ne enmiksiĝas en ĝiajn administrajn aferojn." Majstro Zeng diris: "La nobluloj, en siaj pensoj, ĉiam estas sur sia posteno."
공자 말씀하시기를, "그 지위에 있지 아니하고서는 그 정사를 간섭하지 않는다." 고 하셨다. 증자가 말하기를, "군자는 생각이 그 지위를 벗어나지 않았다." 고 하였다.

27. La Majstro diris: "La nobluloj hontas pri tio, ke liaj paroloj superas liajn agojn."
공자 말씀하시기를, "군자는 그 말이 실행보다 지나침을 부끄러워한다." 고 하셨다.

28. La Majstro diris: "La morala naturo de la noblulo estas triobla, sed ĝin mi ne povas posedi. Virta, li estas libera de maltrankvilo; saĝa, li estas libera de konfuzo; kuraĝa, li estas libera de timo." Zigong diris: "Majstro, tio ja estas la morala naturo de vi mem."
공자 말씀하시기를, "군자의 도가 세 가지인데 내 능한 것이 없도다. 어진 자는 근심하지 않고 지혜로운 자는 혹하지 않고 용감한 자는 두려워하지 않는다." 고 하셨다. 자공이 말하기를, "부자께서 스스로를 말씀하신 것이다." 고 하였다.

29. Zigong havis la kutimon paroli pri alies mankoj. La Majstro diris: "Ĉu vi, Ci, jam atingis altan gradon de virto? Koncerne min, mi ne havas liberan tempon por

tio."

자공이 다른 사람의 결점을 습관적으로 말하기에 공자 말씀하시기를, "자공아. 너는 어진가. 나는 그럴 겨를이 없도다." 고 하셨다

30. La Majstro diris: "Min maltrankviligas ne tio, ke oni ne konas min, sed tio, ke al mi mankas kapablo."

공자 말씀하시기를, "사람이 나를 알지 못하는 것을 근심하지 말고 자기의 능치 못한 것을 근심하여야 한다." 고 하셨다.

31. La Majstro diris: "Ĉu tiu, kiu ne anticipas alies trompemon, nek senbaze suspektas alian pri malsincereco, kaj tamen estas kapabla antaŭtempe ilin percepti, ne estas homo vere saĝa?"

공자 말씀하시기를, "남의 간사함을 예견하지 아니하고 남의 위선을 근거 없이 의심하지 아니하면서도 미리 알아차리는 사람이 참으로 지혜로운 사람이 아니냐?" 고 하셨다.

32. Weisheng Mu diris al Konfuceo: "Qiu, kial vi tiel iradas de loko al loko? Ĉu vi ne jam fariĝis parolanto kun glata lango?" Konfuceo diris: "Mi ne kuraĝas ludi la rolon de tia parolanto, sed mi malamas tiujn obstinajn homojn."

미생무가 공자더러 이르기를, "구는 어찌하여 바삐 돌아다니는가 당신은 이미 매끄러운 혀를 가진 화자가 되지 않았는가?" 공자는 "나는 감히 그런 말을 할 수는 없지만 그 완고한 사람들을 미워한다." 고 하셨다.

33. La Majstro diris: "Ĉevalo estas laŭdinda ne pro sia forto, sed pro siaj bonaj kvalitoj."

공자 말씀하시기를, "말은 그 힘 때문이 아니라 그 잘된 조련 때문에 칭찬받는 것이다." 고 하셨다.

34. Iu diris: "Kion vi diras pri la principo, ke ofendo devas esti rekompencita per bonfaro?" La Majstro diris: "Tiuokaze per kio do vi rekompencos bonfaron? Prefere rekompencu ofendon per justo, kaj rekompencu bonfaron per bonfaro."
어떤 사람이 이르기를, "덕으로써 원망을 갚는 것이 어떠합니까." 고 하니 공자 말씀하시기를, "무엇으로써 덕을 갚느냐 곧음으로써 원망을 갚고 덕으로써 덕을 갚아야 할 것이다." 고 하셨다.

35. La Majstro diris: "Ho ve! troviĝas neniu, kiu min komprenus." Zigong diris: "Kiel povas esti, ke neniu vin komprenas?" La Majstro diris: "Mi ne grumblas kontraŭ Ĉielo, nek murmuras kontraŭ homoj, ĉar mi studas mondajn aferojn kaj konas la volon de Ĉielo. - Tiu, kiu min komprenas, probable estas nur Ĉielo!"
공자 말씀하시기를, "나를 알 사람이 없을 것인가." 라고 하셨다. 자공이 말하기를, "어찌 선생님을 알 사람이 없겠습니까." 고 하니 공자 말씀하시기를, "하늘을 원망하지 않으며, 사람을 허물하지 않으며, 세상사를 연구해 하늘의 뜻을 아니 나를 아는 자는 아마도 하늘일 것인저." 라고 하셨다.

36. Gongbo Liao kalumniis Zilu al Jisun. Zifu Jingbo informis Konfuceon pri tio, dirante: "Lia moŝto certe lasas sin trompita de Gongbo Liao, sed mi ankoraŭ havas sufiĉan forton por mortigi tiun kaj elmontri ties kadavron en la bazaro."

La Majstro diris: "Ĉu miaj principoj povos efektiviĝi? - Tio estas destinita de la sorto. Ĉu ili neniam povos efektiviĝi?

- Ankaŭ tio estas destinita de la sorto. Kion do Gongbo Liao povas fari kontraŭ mia sorto?"

공백료가 자로를 계손에게 참소하니 자복경백이 공자께 고하여 말하기를, "계손씨가 진실로 공백료의 말에 속았으니 내 힘으로 공백료를 죽여 거리에 시체를 내걸고 죄를 밝히고자 합니다." 라고 하였다.

공자 말씀하시기를, "도가 장차 행하는 것도 천명이며 도가 장차 폐하는 것도 천명이니 공백료가 그 천명에 어찌 하겠느냐." 고 하셨다.

37. La Majstro diris: "Iuj eminentuloj ermitiĝas por eviti la mondon. Iuj ermitiĝas por eviti sian propran landon. Iuj ermitiĝas por eviti malrespektajn mienojn. Iuj ermitiĝas por eviti malicajn vortojn."

Poste la Majstro aldonis: "Estas sep homoj, kiuj jam ermitiĝis."

공자 말씀하시기를, "어진 자는 세상을 피하고 그 다음은 자기 땅을 피하고 그 다음은 예의 잃은 얼굴빛을 피하고 그 다음은 악담을 피할 것이다." 고 하셨다. 나중에 덧붙이시기를, "이미 숨은 자가 일곱 사람이로다." 고 하셨다.

38. Foje Zilu pasigis nokton apud Shimen. La sekvantan matenon, kiam li estis enironta la urbon, la gardisto de la urbopordego diris al li: "De kiu vi venas?" Zilu diris: "De s-ro Kong" "Ĉu li estas tiu," diris la gardisto, "kiu scias, ke io estas nefarebla, kaj

tamen nepre volas tion fari?"

한번은 자로가 석문에서 자고 다음날 아침 성 안으로 들어오니 문지기가 말하기를, "어디에서 오시오" 하니 자로가 말하기를, "공씨로부터 오노라" 하니 말하기를, "이는 할 수 없는 줄을 알고도 하는 자인가." 라고 하였다.

39. Iun tagon, kiam la Majstro ludis sur ŝtona frapinstrumento en Wei-regno, iu homo, portante pajlan korbon, preterpasis la pordon de la domo, kie Konfuceo estis, kaj diris: "Tiu, kiu frapas la muzikilon, havas koron pensoplenan." Iom poste li aldonis: "Kiel fiaj estas la ideoj, kiujn tiuj sonoj montras! Per la sonoj li kvazaŭ plendas, ke oni donas nenian atenton al li. Se estas tiel, li devas simple forĵeti sian deziron pri publika enoficiĝo. "Profundan akvon oni devas travadi kun la vestoj surportataj; malprofundan akvon oni povas travadi kun la vestoj supren levitaj."
La Majstro diris: "Kiel obstina li estas! Neniu povas lin konvinki."

공자께서 위나라에서 경쇠를 치시는데 삼태기를 지고 공 씨의 문을 지나가는 자가 있어 말하기를, "마음이 있구나, 경쇠를 침이여." 고 하였다. 얼마를 있다가 말하기를, "비루하다, 고집스런 소리여. 소리로 자신에게 관심을 기울이지 않는다고 불평하는 것 같구나. 그렇다면 공직에 대한 욕심은 버려야 한다. 물이 깊으면 옷을 입고 건너고 얕으면 옷을 조금 걷어서 건너는 것과 같은 것이다." 고 하였다. 공자 말씀하시기를, "얼마나 완고한가! 아무도 그를 설득할 수 없다." 고 하셨다.

40. Zizhang diris: "Kion signifas la frazo el 『Libro de

Historio』 'Gaozong dum la tempo de la landa funebro, ne parolis tri jarojn?'" La Majstro diris: "Kial vi menciis nur Gaozong? Ĉiuj antikvuloj tiel agis. Post kiam la suvereno mortis, la tronheredinto ne parolis pri administraj aferoj tri jarojn, kaj dum la tempo ĉiuj oficistoj prenis instrukciojn de la ĉefministro."

자장이 말하기를, "『서경』에 이르기를 '고종이 상에 거하여 삼년을 말하지 아니하였다' 하였으니 무엇을 이른 것입니까." 고 하니 공자 말씀하시기를, "하필 고종뿐이겠느냐 옛 사람이 다 그러하니 임금이 돌아가면 왕위 계승자는 3년 동안 정사에 대해 말하지 않았고 그 동안 모든 관리는 총리의 지시를 받았다." 고 하셨다.

41. La Majstro diris: "Kiam la regantoj amas observi la decregulojn, la popolo estas preta obei iliajn ordonojn."

공자 말씀하시기를, "위에서 예를 좋아하면 백성을 부리기 쉬운 것이다." 고 하셨다.

42. Zilu demandis, kiaj devas esti la nobluloj. La Majstro diris: "Ili devas kulturi sin, por esti respektemaj kaj modestaj."

"Kaj ĉu tio estas ĉio?" demandis Zilu. "Ili kulturas sin, por povi doni trankvilon kaj feliĉon al aliaj," estis la respondo.

"Kaj ĉu tio estas ĉio?" ree demandis Zilu. La Majstro diris: "Ili kulturas sin, por povi doni trankvilon kaj feliĉon al la tuta popolo - tion ĉi eĉ Yao kaj Shun siatempe ne povis plene efektivigi."

자로가 군자를 물으니, 공자께서 말씀하시기를, "자신을 공경과 겸손으로써 닦을 것이다." 고 하셨다.

자로가 묻기를, "이와 같이 할 뿐입니까." 고 하니 대답하시기를, "몸을 닦아서 사람을 편안하고 행복하게 할 것이다." 고 하셨다.

자로가 다시 묻기를, "이와 같이 할 뿐입니까." 라고 하니 말씀하시기를, "몸을 닦아서 백성을 편안하고 행복하게 할 것이니 심지어 요순도 그들의 시대에 이것을 완전히 구현하지 못했다." 고 하셨다.

43. Yuan Rang sidis kun disigitaj kruroj kaj tiel atendis la alvenon de la Majstro. La Majstro diris al li: "Kiam vi estis juna, vi kondutis ne laŭ la deco. Kiam vi estis plenaĝa, vi faris nenion valoran. Kaj nun, kiam vi vivas ĝis maljuneco, vi estas homo malutila!" Ĉe la fino de la parolo li frapis lin sur la kruron per sia promenbastono.

원양이 걸터앉아서 공자를 기다리니 공자 말씀하시기를, "젊어서는 예의에 따라 행동하지 않고 자라서는 가치 있는 일을 하지 않았다. 그리고 이제 노년까지 살면 해로운 사람이다!" 말이 끝나자 지팡이로써 그 발 뼈를 치셨다.

44. Knabo de Quedang venis por porti mesaĝon al Konfuceo. Oni demandis Konfuceon: "ĉu tiu ĉi knabo havas la deziron fari progresojn en sia lernado?" La Majstro diris: "Mi observis, ke li amas okupi la sidlokon por plenaĝulo; mi observis, ke li iras ŝultro ĉe ŝultro kun siaj pliaĝuloj. Li ne estas tia knabo, kiu penas fari progresojn en sia lernado. Li deziras nur rapide fariĝi plenaĝulo."

궐 마을의 동자가 명령을 받으니 어떤 사람이 묻기를, "이 소년은

학업에 진전을 이루고자 하는 열망이 있습니까?"

공자 말씀하시기를, "내가 그 어른의 자리에 앉음을 보며, 그 형들과 어깨를 나란히 하고 걷는 것을 보니 공부를 잘하려고 애쓰는 그런 아이가 아니라 빨리 어른이 되고자 하는 자이다." 고 하셨다.

ĈAPITRO XV WEI LING GONG 제15장 위령공

1. La princo Ling de Wei demandis Konfuceon pri la batalarangô kaj Konfuceo diris: "Mi aŭdis pri oferceremonioj, sed mi ne lernis militajn aferojn." En la sekvanta tago li do foriris de Wei-regno.

위나라 영공이 공자에게 진치는 법을 물으니 공자께서 대답하시기를, "제사의 일이라면 일찍이 들었지마는 군사의 일은 아직 배우지 못하였다." 하시고 다음날 위나라를 떠났다.

2. Kiam Konfuceo estis en Chen-regno, lia provianto elĉerpiĝis, kaj liaj sekvantoj estis tiel malsanaj, ke ili eĉ ne povis ellitiĝi. Zilu, kun evidenta malkontenteco, diris: "Ĉu ankaŭ la noblulo devas suferi tian mizeron?" La Majstro diris : "La noblulo, suferante mizeron, restas noblulo, sed la malgranda homo, kiam li estas en mizero, permesas al si agi senbride kaj kontraŭdece."

진나라에 계실 때에 양식이 끊어지니 따르는 자가 병들어 능히 일어나지 못하니 자로가 공자를 뵙고 불평하기를, "군자도 역시 궁함이 있습니까." 라고 하니 공자 말씀하시기를, "군자가 진실로 궁한 것이니 소인은 궁하면 제약없이 그릇된 일이라도 하게 된다." 고 하셨다.

3. La Majstro diris: "Ci, ĉu vi pensas, ke mi estas tia homo, kiu lernas multajn aferojn kaj povas konservi ilin en la memoro?" Zigong respondis: "Jes. - Ĉu ne estas tiel?" "Ne," estis la respondo, "mi havas unu bazan ideon, per kiu mi interligas ilin ĉiujn."

공자 말씀하시기를, "자공아, 나를 많이 배우고 모든 이치를 다 기억할 수 있는 자라고 생각하느냐." 고 하니 대답하기를, "그렇습니다. 그렇지 않습니까." 라고 하였다. 공자 말씀하시기를, "아니다. 나는 한 가지 이치로 모든 일을 관통한다." 고 하셨다.

4. La Majstro diris: "You! Tiuj, kiuj scias la virton, estas tre malmultaj."
공자 말씀하시기를, "자로야, 덕을 아는 사람은 적다." 고 하셨다.

5. La Majstro diris: "Eble Shun estis la sola suvereno, kiu povis efike regi sen penoj. Kion li faris? Li faris nenion alian krom gravmiene sidi sur sia trono."
공자 말씀하시기를, "함이 없이 잘 다스리는 자는 아마도 순이시리다. 무슨 일을 하셨을까? 몸을 공손히 하여 임금 자리에 계실 따름이시었다." 고 하셨다.

6. Zizhang demandis, kiel oni devas konduti, por esti ĉie ŝatata. La Majstro diris: "Liaj paroloj estu sinceraj kaj veraj, kaj liaj agoj honestaj kaj seriozaj - tia konduto povas esti ŝatata eĉ inter la krudaj triboj de la Sudo aŭ la Nordo. Se liaj paroloj ne estas sinceraj kaj veraj, kaj liaj agoj ne honestaj kaj seriozaj, ĉu ili povus, kun tia konduto, esti ŝatataj eĉ en sia najbaraĵo?
Kiam li estas staranta, lasu al li vidi la vortojn 'sincereco, vereco, honesteco kaj seriozeco', kvazaŭ ili aperus antaŭ liaj okuloj. Kiam li estas en kaleŝo, lasu al li vidi ilin, kvazaŭ ili estus alfiksitaj al la transversa lignopeco antaŭ li. Tiamaniere li povas esti ĉie ŝatata."
Zizhang do skribis ĉi tiun konsilon sur la rubandon de

sia robo.

자장이 널리 행할 수 있는 도리를 물으니 공자 말씀하시기를, "말이 충성스럽고 미더우며 행실이 진실하고 진지하면 비록 오랑캐의 나라라도 행하지마는 말이 충성스럽고 미덥지 못하며 행실이 진실하고 진지하지 못하면 비록 자기가 사는 마을인들 행하겠느냐. 서면 '충성, 미더움, 진실, 진지' 이런 이치가 눈앞에 있음을 볼 수 있겠고 수레를 탔을 때는 이 이치가 멍에에 부착된 것을 볼 것이니 그런 뒤에야 행할 것이다." 고 하셨다. 자장이 큰 띠에 썼다.

7. La Majstro diris: "Vere nefleksebla estis Shi Yu! Kiam la regno estis bone regata, li estis kiel sago. Kiam la regno estis malbone regata, li estis ankaŭ kiel sago. Ja noblulo estas Qu Boyu! Kiam la regno estas bone regata, li estas en ofico. Kiam la regno estas malbone regata, li povas kaŝi siajn principojn kaj ermitiĝi."

공자 말씀하시기를, "곧구나, 사어여! 나라에 도가 있어도 화살처럼 곧으며 나라에 도가 없어도 화살처럼 곧도다. 군자로다. 거백옥이여! 나라에 도가 있으면 벼슬을 하고 나라에 도가 없으면 물러가 숨도다." 고 하셨다.

8. La Majstro diris: "Ne paroli al tiu, kiu povus esti alparolata, estas perdi ŝancon; paroli al tiu, kiu ne povus esti alparolata, estas malŝpari vortojn. Tiu, kiu estas vere saĝa, neniam perdas ŝancon, nek malŝparas siajn vortojn."

공자 말씀하시기를, "더불어 말할 만한데 더불어 말을 하지 아니하면 기회를 잃고 더불어 말하지 아니할 것을 더불어 말하면 말을 잃을 것이니 지혜로운 자는 기회를 잃지 아니하며 또한 말을 잃지 아니한다." 고 하셨다.

9. La Majstro diris: "Tiuj, kiuj sin dediĉas al la virto, ne volas konservi sian vivon per difekto al sia virto. Ili estas pretaj eĉ oferi sian vivon, por konservi sian virton."

공자 말씀하시기를, "어진 사람은 삶을 구하여 어진 것을 해하는 일이 없으며 그 몸을 죽여서 어진 것을 이루는 것이다." 고 하셨다.

10. Zigong demandis pri la praktikado de la virto. La Majstro diris: "La metiisto, kiu deziras bone fari sian laboron, devas antaŭ ĉio akrigi siajn ilojn. Kiam vi loĝas en iu regno, vi devas servi la indajn inter ĝiaj grandaj oficistoj kaj amikiĝi kun la virtaj inter ĝiaj kleruloj."

자공이 인을 행하는 것을 물으니 공자 말씀하시기를, "장인이 그 일을 잘 하려면 반드시 먼저 그 기구를 날카롭게 해야 할 것이니 나라에 있어서는 대부 중에 가치있는 이를 섬기고 선비 중에 어진 이를 벗할 것이다." 고 하셨다.

11. Yan Yuan demandis kiel administri la regnon. La Majstro diris: "Sekvu la kalendaron de Xia. Veturu en la kaleŝo de Yin. Portu la ceremonian ĉapon de Zhou. Ludu la muzikaĵojn de Shao kaj Wu. Forĵetu la kantojn de Zheng kaj fremdigu vin de flatuloj. La kantoj de Zheng estas malĉastaj, kaj flatuloj estas danĝeraj."

안연이 나라를 다스리는 것을 물으니 공자 말씀하시기를, "하나라 의 달력을 쓰고 상나라의 수레를 타며 주나라의 면류관을 쓰며 소 와 무의 악기로 놀며 정 나라의 소리를 내치며 아첨하는 사람을 멀리할 것이니 정나라의 소리는 음란하고 아첨하는 사람은 위태로운 것이다." 고 하셨다.

12. La Majstro diris: "Tiu, kiu ne direktas siajn pensojn malproksimen, certe trovos malĝojon en la proksimeco."
공자 말씀하시기를, "사람이 멀리 생각하는 것이 없으면 반드시 가까운 근심이 있을 것이다." 고 하셨다.

13. La Majstro diris: "Ba! Mi neniam vidis homon, kiu amus la virton kiel la belecon."
공자 말씀하시기를, "할 수 없구나, 내가 덕을 좋아하기를 색을 좋아하는 것과 같이하는 자를 보지 못하겠노라." 고 하셨다.

14. La Majstro diris: "Ĉu Zang Wenzhong ne similis homon, kiu ŝtelis sian postenon? Sciante pri la virto kaj la talentoj de Hui de Liuxia, li komisiis al li nenian oficon."
공자 말씀하시기를, "장문중은 그 지위를 도적질한 자와 같지 않느냐. 유하혜의 어진 것을 알고도 어떤 직도 맡기지 아니하도다." 고 하셨다.

15. La Majstro diris: "Tiu, kiu multe riproĉas sin kaj malmulte riproĉas aliajn, gardu sin fariĝi objekto de rankoro."
공자 말씀하시기를, "몸을 스스로 많이 꾸짖고 사람들을 탓하는 것을 적게 하면 곧 원망을 멀리할 것이다." 고 하셨다.

16. La Majstro diris: "Se iu ne ofte diras 'Kion mi

devas fari? Kion mi devas fari?', mi vere ne scias, kion mi devas fari kontraŭ li!"

공자 말씀하시기를, "어찌 하리오, 어찌 하리오 하고 자주 말하지 않는 자는 나도 그에게 어떻게 할지 알지 못하겠노라." 고 하셨다.

17. La Majstro diris: "Tiuj, kiuj kunestas la tutan tagon sen paroli pri justeco kaj nur amas elmontri sian etan inteligentecon, ja estas malfacile instrueblaj."

공자 말씀하시기를, "여럿이 온 종일 있으되 말이 의에 미치지 아니하고 보잘 것 없는 지식을 보여주기를 좋아하면 가르침을 받기가 어려운 것이다." 고 하셨다.

18. La Majstro diris: "La nobluloj rigardas la justecon kiel la esencon. Ili plenumas ĝin laŭ la decreguloj. Ili eldiras ĝin per humilaj vortoj. Ili kompletigas ĝin per sincereco. Tiaj homoj ja estas nobluloj."

공자 말씀하시기를, "군자는 의로써 바탕을 삼고 예로써 행하며 겸손으로서 태도를 나타내고 믿음으써 이루는 것이니 이러면 군자로다." 라고 하셨다.

19. La Majstro diris: "La nobluloj ĉagreniĝas nur pro tio, ke al ili mankas kapablo. Ili ne ĉagreniĝas pro tio, ke oni ilin ne konas."

공자 말씀하시기를, "군자는 능한 것이 없음을 걱정하고 사람이 나를 알아주지 않는 것을 걱정하지 않는다." 고 하셨다.

20. La Majstro diris: "Tio, kion la nobluloj timas, estas ke ilia nomo ne estos menciata kun laŭdo post ilia morto."

공자 말씀하시기를, "군자는 죽은 뒤에 이름이 일컬어지지 못하는 것을 싫어한다." 고 하셨다.

21. La Majstro diris: "La nobluloj metas postulojn al si mem; la malgrandaj homoj metas postulojn al aliaj."
공자 말씀하시기를, "군자는 자신에게 요구하고 소인은 남에게 요구한다." 고 하셨다.

22. La Majstro diris: "La nobluloj estas dignaj, sed ne malpacas kun aliaj. Ili estas societemaj, sed apartenas al neniu klano."
공자 말씀하시기를, "군자는 몸가짐을 씩씩하게 하되 다투지 아니하며 무리와 화목하되 편당하지 아니한다." 고 하셨다.

23. La Majstro diris: "La nobluloj ne promocias iun nur pro ties vortoj, nek ignoras bonajn vortojn pro la persono, kiu ilin diras."
공자 말씀하시기를, "군자는 말로써 사람을 들어 쓰지 않으며 또 말하는 사람 때문에 좋은 말을 무시하지도 않는다." 고 하셨다.

24. Zigong demandis: "Ĉu ekzistas unu vorto, kiu povus servi kiel kondutregulo por la tuta homa vivo?" La Majstro diris: "Probable 'reciprokeco' estas tia vorto. Ĝi signifas : Kion vi ne deziras fari al vi mem, tion vi ne faru al aliaj."
자공이 묻기를, "한 마디 말로 종신토록 행할 만한 것이 있습니까" 고 하니 공자 말씀하시기를, "아마도 '배려' 일 것이다. 내가 하고자 하지 않는 바를 남에게 베풀지 말라." 고 하셨다.

25. La Majstro diris: "En miaj paroloj pri aliaj mi ĉiam min detenas kaj de laŭdado kaj de mallaŭdado. Sed se mi malgraŭe laŭdas iun, tion mi faras nepre post mia ekzameno de lia personeco. La popolo de Xia, Shang kaj Zhou-dinastioj tiel agis, jen kial ili sekvis la ĝustan vojon."

공자 말씀하시기를, "내가 사람에 있어서 누구를 헐뜯으며 누구를 칭찬 하겠는가 만일 칭찬하는 바가 있다면 그 사실을 시험해 보고 한 것이다. 하(夏), 상(商), 주(周)나라 사람들이 이렇게 행동했기 때문에 올바른 길을 갔다." 고 하셨다.

26. La Majstro diris: "Mi ankoraŭ povis vidi blankojn en tekstoj de kronikoj. Tiu, kiu havis ĉevalon, volis pruntedoni ĝin al alia por rajdi. Nun, ho ve! Tia homo ne ekzistas."

공자 말씀하시기를, "내가 아직 역사서에서 빈 란을 볼 수 있는데 말을 가진 이가 말을 남에게 빌려주어 타게 하는 것과 같은데 지금은 그런 사람이 없구나." 라고 하셨다.

27. La Majstro diris: "Dolĉaj vortoj difektas la virton. Manko de toleremo en malgrandaj aferoj difektas grandajn celojn."

공자 말씀하시기를, "교묘한 말은 덕을 어지럽게 하고 작은 것을 참지 못하면 큰 목적을 어지럽게 한다." 고 하셨다.

28. La Majstro diris: "Kiam ĉiuj malŝatas iun, esploro estas necesa. Kiam ĉiuj ŝatas iun, esploro ankoraŭ estas necesa."

공자 말씀하시기를, "무리가 미워하더라도 반드시 살피며 무리가 좋아하더라도 반드시 살펴야 한다." 고 하셨다.

29. La Majstro diris: "La homo povas grandigi la veron; la vero ne povas grandigi la homon."
공자 말씀하시기를, "사람이 능히 도를 넓히는 것이지 도가 사람을 넓히는 것은 아니다." 고 하셨다.

30. La Majstro diris: "Havi kulpojn sed ne korekti ilin - jen vera kulpo."
공자 말씀하시기를, "허물이 있는 것을 고치지 않으면 이것이 허물인 것이다." 고 하셨다.

31. La Majstro diris: "Mi iam pasigis tutan tagon sen manĝado kaj tutan nokton sen dormo, por meditadi, sed mi trovis nenian utilon en tio. Pli bone estus fari lernadon."
공자 말씀하시기를, "내가 일찍이 온종일 먹지 않고 밤이 새도록 자지 않고 생각하였으나 유익한 것이 없는지라 배우는 것만 같지 못하도다." 라고 하셨다.

32. La Majstro diris: "La penado de nobluloj celas la veron, ne nutraĵon. Eĉ tiuj, kiuj sin okupas pri terkulturado, iafoje suferas malsaton, sed lernado povas konduki al alta salajro. La noblulo estas maltrankvila pri tio, ke eble li ne akiros la veron; li ne estas maltrankvila pri tio, ke malriĉeco povos veni sur lin."
공자 말씀하시기를, "군자는 도를 꾀하고 먹는 것을 꾀하지 아니한다. 농사를 짓되 흉년이면 주림이 그 가운데 있고 배움에 녹이 그 가운데에 있으니 군자는 도를 근심하고 가난한 것을 근심하지 아니 한다." 고 하셨다.

33. La Majstro diris: "Kiam la saĝo de homo estas sufiĉa por atingi ian rangon, sed lia virto ne estas sufiĉa por ebligi al li teni ĝin, eĉ se li povas akiri ĝin, li ĝin certe perdos. Kiam lia saĝo estas sufiĉa por atingi ian rangon kaj li havas virton sufiĉan por firme teni ĝin, se li ne povas regi kun digno, la popolo ne respektos lin. Kiam lia saĝo estas sufiĉa por atingi ian rangon kaj li havas virton sufiĉan por firme teni ĝin kaj ankaŭ povas regi kun digno, sed se li ne penas movi la popolon laŭ la decreguloj - tiam ne plena boneco estos atingita."

공자 말씀하시기를, "지혜가 미치더라도 어진 것을 잘 지키지 않으면 비록 얻어도 반드시 잃는다. 지혜가 미치어 인으로 능히 지키고도 씩씩하게 행하지 않으면 백성이 공경하지 않는다. 지혜가 미치어 인으로 능히 지키며 씩씩하게 행할 수 있더라도 백성이 움직이기를 예로써 하도록 애쓰지 아니 하면 착하지 못하다." 고 하셨다.

34. La Majstro diris: "La noblulo ne povas esti provita en malgrandaj aferoj, sed li povas esti komisiita je grandaj aferoj. La malgranda homo ne povas esti komisiita je grandaj aferoj, sed li povas esti provita en malgrandaj aferoj."

공자 말씀하시기를, "군자는 작은 일로 그의 진가를 알 수 없으나 큰 일을 맡을 수 있고 소인은 큰 일을 맡을 수 없으나 작은 일은 알아서 할 것이다." 고 하셨다.

35. La Majstro diris: "Por la popolo la virto estas pli

bezonata, ol akvo kaj fajro. Mi vidis tiujn, kiuj mortis pro vado en akvo aŭ paŝado sur fajro, sed mi neniam vidis homon, kiu mortus pro irado de la vojo de virto."

공자 말씀하시기를, "백성에게 인이라는 것이 물과 불보다 더 필요하니 물과 불 때문에 죽는 것을 내가 보았으나 어진 길을 걸어 죽은 사람을 보지 못하였다." 고 하셨다.

36. La Majstro diris: "Tian aferon, kia estas la plenumo de la virto, oni ne devas cedi eĉ al sia instruisto."

공자 말씀하시기를, "덕을 이루는 일에는 스승에게도 사양하지 아니할 것이다." 고 하셨다.

37. La Majstro diris: "La nobluloj sin tenas je grandaj principoj kaj ne obstinas en plenumo de bagatelaj promesoj."

공자 말씀하시기를, "군자는 큰 원칙을 고수하고 사소한 약속의 이행에 완고하지 아니 한다." 고 하셨다.

38. La Majstro diris: "La ministro, en servado al sia princo, devas plenumi sian oficon kun zorga konscienceco, rigardante sian salajron kiel flankan aferon."

공자 말씀하시기를, "임금을 섬기되 그 일을 공경하고 그 녹을 뒤에 할 것이다." 고 하셨다.

39. La Majstro diris: "Instruado konas neniajn kastojn."

공자 말씀하시기를, "가르침은 어떤 부류도 모른다." 고 하셨다.

40. La Majstro diris: "Tiuj, kies principoj estas

malsamaj, ne konsiliĝas unu kun alia."

공자 말씀하시기를, "도가 같지 아니하면 서로 같이 일을 도모하지 못할 것이다." 고 하셨다.

41. La Majstro diris: "Estas sufiĉe, se la vortoj povas klare esprimi la penson."

공자 말씀하시기를, "말은 그 뜻을 정확히 표현하면 족하다." 고 하셨다.

42. Foje blinda muzik-majstro Mian vizitis Konfuceon. Kiam li venis al la ŝtupoj, la Majstro diris: "Jen la ŝtupoj." Kiam li venis al la sidmato, la Majstro diris: "Jen la sidmato." Kiam ĉiuj jam sidiĝis, la Majstro informis lin: "Jen estas tiu kaj tiu; jen estas tiu ĉi kaj tiu ĉi."

Post kiam majstro Mian eliris, Zigong demandis: "Ĉu tio estas la deca maniero paroli al la blinda muzik-majstro?" La Majstro diris: "Jes. Tio certe estas la deca maniero helpi la blindulon."

악사인 소경 면이 공자를 뵈려고 계단에 이르거늘 공자 말씀하시기를, "계단이라." 고 하시고 자리에 미쳐서는 공자 말씀하시기를, "자리다." 고 하시고 앉으니 공자 말씀하시기를, "아무가 여기에 있다. 아무가 여기에 있다." 고 하셨다.

악사인 면이 나가니 자장이 묻기를, "소경인 악사와 더불어 말씀하는 도리입니까." 라고 하니 공자 말씀하시기를, "그러하다. 진실로 소경을 돕는 도이다." 고 하셨다.

ĈAPITRO XVI JI SHI   제16장 계씨

1. La ĉefo de Ji-familio intencis ataki Zhuanyu. Ran You kaj Jilu iris viziti Konfuceon kaj diris: "La ĉefo de Jifamilio baldaŭ komencos operacojn kontraŭ Zhuanyu."

Konfuceo diris: "Ran You, ĉu ne estas vi, kiu meritas riproĉon? Koncerne Zhuanyu, ĝi antaŭ longe estis rajtigita de la antaŭaj reĝoj fari la oferadojn al la monto Dongmeng. Cetere, ĝi kuŝas en la mezo de la teritorio de nia regno, kaj ĝia reganto estas vasalo rekte al la reĝo - kial do via ĉefo intencas ĝin ataki?"

Ran You diris: "Nia mastro volas tion fari; neniu el ni konsentas kun li."

Konfuceo diris: "Ran You, Zhou Ren diris interalie la jenajn vortojn : 'Kiam iu povas efike uzi sian kapablon, li enoficiĝas; se ne, li retiriĝas el la ofico.' Se gvidanto ne subtenas blindulon ĉe lia ŝanceliĝo, nek levas lin ĉe lia falo, kiel do li povas esti bezonata? Kaj plie, via parolo estas erara. Se tigro aŭ rinocero forkuras el sia kaĝo, kaj se testudŝelo aŭ gemo difektiĝas en sia tenujo - kies kulpo do estas?"

Ran You diris: "Sed nun la muregoj de Zhuanyu estas fortikaj kaj proksimaj al Bi; se nia ĉefo nun ne prenas ĝin, estontece ĝi estos la kaŭzo de malĝojo de liaj posteuloj."

Konfuceo diris: "Ran You, la noblulo malamas tiun, kiu rifuzas diri 'Mi volas tion kaj tion' kaj faras klarigojn por sia miskonduto. Koncerne la reganton de iu regno aŭ la ĉefon de iu familio, mi aŭdis la jenon: 'Li ne estas maltrankvila pri tio, ke lia popolo estas malriĉa, sed estas maltrankvila pri tio, ke la riĉaĵoj ne estas juste distribuitaj; li ne estas maltrankvila pri tio, ke lia popolo estas malgrandnombra, sed estas maltrankvila pri tio, ke ili estas dividitaj unuj kontraŭ aliaj. Kaj efektive, kiam ĉio estas juste distribuita, tiam malaperas malriĉeco; kiam ili ne estas dividitaj unuj kontraŭ aliaj, tiam malaperas nesufiĉeco de homoj; kaj kiam regas kontenteco, tiam okazas nenia ribelo. Se tia stato de aferoj ekzistas kaj tamen la popolo de foraj landoj ankoraŭ ne submetiĝas, tiam la reganto devas altiri ilin al si per plialtigo de sia kulturiteco kaj virto; kaj post kiam ili alvenas, li devas ilin kontentigi kaj trankviligi. Nun, kvankam vi ambaŭ, Jilu kaj Ran You, helpas vian mastron, tamen la popolo de foraj lokoj ne submetiĝas al li, kaj li ne povas altiri ilin al si. La regno mem estas dividita kaj ŝanceliĝanta, sed li povas fari nenion por konservi ĝin tuta kaj nun eĉ planas operacojn interne de nia regno. Mi timas, ke la kaŭzo de la malĝojo de Ji-familio ne estos Zhuanyu, sed troviĝos interne de la ekranego en la palaco de la princo de Lu."

계씨가 장차 전유를 치려 하니 염유와 자로가 공자를 뵙고 말하기를, "계씨가 장차 전유를 치려고 합니다." 고 하니

공자 말씀하시기를, "염유야, 그것은 너의 허물이 아니냐. 전유는 옛적에 선왕이 동몽의 제주를 삼으시고 또 노나라 가운데 있는지라 임금에게 충성하는 신하이니 어찌 치겠느냐." 고 하셨다.

염유가 말하기를, "계씨가 하고자 하는 것이지 우리 두 신하는 다

하고자 하지 않습니다." 고 하셨다.

공자 말씀하시기를, "염유야, 주임이 말하기를 '힘을 다하여 벼슬에 나아가서 능치 못하면 그만둘 것이다.' 하니 위험한데도 잡지 못하며 넘어지나 붙잡지 못한다면 장차 어찌 저 소경을 돕는 사람으로 쓰리오. 또 네 말이 잘못이구나. 범과 들소가 우리에서 나오며 거북과 옥이 궤 가운데서 깨어지면 누구의 허물이냐." 고 하셨다.

염유가 말하기를, "오늘날 전유는 성곽이 견고하고 비 땅에 가까우니 이제 취하지 아니하면 후세에 반드시 자손의 근심이 될 것입니다." 고 하였다.

공자 말씀하시기를, "염유야, 군자는 하고자 한다고 이르지 아니하고 기필코 한다는 말을 미워한다. 내가 들으니, '나라를 두고 집을 둔 자가 적은 것을 근심하지 않고 고르지 못한 것을 근심하며 수가 적은 것을 근심하지 않고 서로 나눠진 것을 근심한다.' 하니 고르면 가난할 것이 없고 화하면 적을 것이 없으며 편안하면 반란이 없을 것이다. 이러한 고로 먼 곳의 사람이 복종치 않으면 학문과 덕을 닦아서 오게 하고 이미 왔다면 곧 편안하게 할 것이다. 이제 염유와 자로는 계씨를 돕되 먼 데 사람이 복종치 아니하여도 능히 오게 못하며, 나라가 나뉘어 흔들려도 능히 지키지 못하고 나라 안에서 전쟁을 일으킬 것으로 꾀하니 나는 계손의 근심이 전유에 있지 아니하고 자기집 안에 있을까 두려워한다." 고 하셨다.

2. Konfuceo diris: "Kiam la lando estas bone regata, ceremonioj, muziko kaj punaj militaj ekspedicioj devenas de la reĝo. Kiam la lando estas malbone regata, ceremonioj, muziko kaj punaj militaj ekspedicioj devenas de la princoj. Kiam ĉi tiuj aferoj devenas de la princoj, ordinare malofte okazas, ke ili ne perdiĝas en dek generacioj. Kiam ĉi tiuj aferoj devenas de la grandaj oficistoj de la princoj, ordinare

malofte okazas, ke ili ne perdiĝas en kvin generacioj. Kiam la vasaloj al la grandaj oficistoj tenas en siaj manoj la regpotencon de la regno, ordinare malofte okazas, ke ili ne perdiĝas en tri generacioj. Kiam justaj principoj regas en la lando, la administrado ne povas esti en la manoj de la grandaj oficistoj. Kiam justaj principoj regas en la lando, inter la ordinaraj popolanoj estas neniaj diskutoj."

공자 말씀하시기를, "천하에 도가 있으면 예악과 정벌이 천자로부터 나오고 천하에 도가 없으면 예악과 정벌이 제후로부터 나오게 되니 제후로부터 나오면 대개 십대에 잃지 않을 자 드물고 대부로부터 나오면 오대에 잃지 않을 자 드물고 모신 신하가 나라의 명을 잡으면 삼대에 잃지 않을 자 드물 것이다 천하에 도가 있으면 정사에 대부가 필요 없고 천하에 도가 있으면 서인이 분분한 의론이 없을 것이다." 고 하셨다.

3. Konfuceo diris: "La regpotenco de la regno nun estas for de la princo de Lu jam por kvin generacioj. La regado estas en la manoj de la grandaj oficistoj jam por kvar generacioj. Tial la posteuloj de la tri Huan-oj estas reduktitaj al multe malpli prospera stato."

공자 말씀하시기를, "나라의 녹이 공실에서 떠난 지가 다섯 대요 정사가 대부에게 미친 지 네 대이니 고로 삼환의 자손이 미약하다." 고 하셨다.

4. Konfuceo diris: "Troviĝas tri tipoj de amikeco, kiuj estas utilaj, kaj tri tipoj de amikeco, kiuj estas malutilaj. Amikeco kun la honesta homo, amikeco kun la sincera kaj amikeco kun la alte klera estas utilaj.

Amikeco kun la flatema homo, amikeco kun la duvizaĝa kaj amikeco kun la falslanga estas malutilaj."

공자 말씀하시기를, "유익한 자로 세 가지 벗이요 손해되는 자로 세 가지 벗이니 곧은 자를 벗하고 미더운 자를 벗하며 지혜가 높은 자를 벗하면 유익하다 아첨하는 자를 벗하며, 두 얼굴 가진 자를 벗하며, 거짓된 자를 벗하면 손해가 된다." 고 하셨다.

5. Konfuceo diris: "Troviĝas tri tipoj de ĝojo, kiuj estas utilaj, kaj tri tipoj de ĝojo, kiuj estas malutilaj. Ĝojo en studo de ceremonioj kaj muziko, ĝojo en laŭdado pri bonaj kvalitoj de aliaj kaj ĝojo en amikeco kun honestaj kaj kapablaj amikoj estas utilaj. Ĝojo en fiero, ĝojo en nenifarado kaj pasumado kaj ĝojo en luksega festenado estas malutilaj."

공자 말씀하시기를, "좋아하는 것 중에 유익한 것이 세 가지요 손해되는 것이 세 가지가 있다 예약의 적절함을 좋아하고 남의 좋은 점 말하기를 좋아하고 진실하고 능력있는 벗과 우정을 좋아하면 유익하고 자랑하기를 좋아하고 게으른 것을 좋아하고 사치스러운 잔치를 좋아하면 손해가 된다." 고 하셨다.

6. Konfuceo diris: "Parolante kun noblulo, homo povas fari tri erarojn. Se li parolas tiam, kiam por li ne venas la vico paroli, tio estas nomata malpacienco. Se li ne parolas tiam, kiam por li venas la vico paroli, tio estas nomata kaŝo. Se li parolas sen rigardi la mienon de la noblulo, tio estas nomata blindeco."

공자 말씀하시기를, "군자는 모심에 세 가지 허물이 있기 쉬우니 말이 아직 미치지 아니하였는데 말하는 것을 조급하다 하고 말이 미쳤으나 말하지 아니하는 것을 숨긴다 하고 얼굴빛을 보지 아니하고 말하는 것을 소경이라고 이른다." 고 하셨다.

7. Konfuceo diris: "La noblulo devas sin gardi kontraŭ tri aferoj. En la juneco, kiam lia vivpulsado estas ankoraŭ ne stabiliĝinta, li devas sin gardi kontraŭ volupto. En la maturiĝo, kiam lia vivpulsado estas forta, li devas sin gardi kontraŭ batalemo. En la maljuneco, kiam lia vivpulsado estas malforta, li devas sin gardi kontraŭ avideco."
공자 말씀하시기를, "군자가 세 가지 경계할 일이 있으니 어렸을 때에 혈기가 아직 정해지지 아니 하였으니 경계하는 것은 여색에 있고 장성해서는 혈기가 바야흐로 강하기 때문에 경계할 것은 싸움에 있고 늙음에 이르러서는 혈기가 이미 쇠하였으니 경계할 것은 탐욕스러운 데 있다." 고 하셨다.

8. Konfuceo diris: "La nobluloj timas tri aferojn: ili timas la volon de Ĉielo, grandajn homojn kaj la vortojn de sanktaj saĝuloj. La malgrandaj homoj ne scias pri la volo de Ĉielo kaj tial ne timas ĝin. Ili malestimas la grandajn homojn kaj mokas la vortojn de sanktaj saĝuloj."
공자 말씀하시기를, "군자는 세 가지 두려운 것이 있으니 천명을 두려워하며 대인을 두려워하며 성인의 말씀을 두려워한다. 소인은 천명을 알지 못하여 두려워하지 않기 때문에 대인을 가볍게 여기고 성인의 말씀을 희롱한다." 고 하셨다.

9. Konfuceo diris: "Tiuj, kiuj naskiĝas kun la posedo de scioj, estas homoj de la plej alta klaso. Tiuj, kiuj lernas kaj tiel akiras sciojn, estas de malpli alta klaso.

Tiuj, kiuj lernas post kiam ili renkontas malfacilaĵojn, estas de ankoraŭ malpli alta klaso. Koncerne tiujn, kiuj renkontas malfacilaĵojn kaj tamen ne lernas, ili apartenas al la plej malalta klaso de la popolo."

공자 말씀하시기를, "나서 절로 아는 자는 으뜸이요 배워서 아는 자는 다음이요 애써서 아는 것은 그 다음이니 애써 배우지 않으면 이 백성이야말로 가장 못난이가 된다." 고 하셨다.

10. Konfuceo diris: "Troviĝas naŭ aferoj, kiujn la nobluloj devas konsideri. Ĉu ili vidas klare, kiam ili rigardas? Ĉu ili aŭdas klare, kiam ili aŭskultas? Ĉu ili estas mildaj en sia mieno? Ĉu ili estas respektemaj en sia konduto? Ĉu ili estas sinceraj en siaj paroloj? Ĉu ili estas konsciencaj en plenumo de aferoj? Ĉu ili devas demandi aŭ ne, kiam ili estas en dubo? Ĉu ili pensas pri la sekvoj, kiam ili estas en kolero? Ĉu ili pensas pri justeco, kiam ili vidas profiton?"

공자 말씀하시기를, "군자는 생각하는 것이 아홉 가지 있는데 봄에는 명확함을 생각하며 들음에는 분명함을 생각하며 태도에는 온순한 것을 생각하며 행함에는 공손한 것을 생각하며 말에는 진지함을 생각하며 일에는 양심을 생각하며 의심에는 물을 것을 생각하며 분할 때는 다음을 생각하며 얻는 것을 보고 의를 생각하는 것이다." 라고 하셨다.

11. Konfuceo diris: "Vidi tion, kio estas bona, kaj sekvi ĝin kvazaŭ oni neniel povus ĝin atingi; vidi tion, kio estas nebona, kaj eviti ĝin kvazaŭ oni ne kuraĝus meti siajn fingrojn en bolantan akvon: tiajn homojn mi vidis kaj tiajn vortojn mi aŭdis. Vivi ermite por konservi

sian volon nefleksebla kaj praktiki justecon por efektivigi siajn principojn: - tiajn vortojn mi aŭdis, sed tiajn homojn mi ne vidis."

공자 말씀하시기를, "착한 것을 보면 미치지 못하는 것같이 하며 착하지 못한 것을 보면 끊는 물을 더듬는 것같이 하는 사람을 내가 그런 사람을 보고 그런 말을 들었노라 숨어 살면서 그 뜻을 굽히지 않고 원칙을 실행하고자 의를 행하는 자에 관해 나는 그 말은 들었으나 그 사람은 보지 못하였다." 고 하셨다.

12. La princo Jing de Qi havis kvar mil ĉevalojn, sed en la tago de lia morto la popolo ne laŭdis lin pro lia manko de virto. Boyi kaj Shuqi mortis de malsato ĉe la piedo de la monto Shouyang, kaj ĝis nun la popolo ankoraŭ laŭdas ilin. ĉu tiu diro ne estas ilustrita per tio ĉi?

제나라의 경공이 말 사천이 있었으나 죽는 날에 백성이 덕을 일컬음이 없었고 백이와 숙제는 수양산 아래에서 굶주려 죽었으나 백성이 이제까지 일컫는다. 이 말이 이것을 이르는 것이 아니냐." 라고 하셨다.

13. Chen Kang demandis Boyu: "Ĉu de via patro vi aŭdis lecionojn diferencajn de tio, kion ni ĉiuj aŭdis?"

Boyu respondis: "Ne. Foje, kiam mi rapidpaŝe trapasis la korton, mi renkontis mian patron starantan tie sola, kaj li demandis al mi: 'Ĉu vi jam lernis la Poemojn?' Al mia respondo 'Ankoraŭ ne' li aldonis: 'Se vi ne lernas la Poemojn, vi ne taŭgos por konversaciado.' Mi do retiriĝis kaj lernis la Poemojn. Alian tagon, kiam mi rapidpaŝe trapasis la korton, mi ree renkontis lin starantan tie sola, kaj li demandis al mi: 'Ĉu vi jam lernis la decregulojn?' Al mia respondo 'Ankoraŭ ne' li aldonis: 'Se vi ne lernas la decregulojn, vi ne scias kiel agi en viaj rilatoj kun aliaj homoj.' Mi do retiriĝis kaj lernis la decregulojn. Mi aŭdis de li nur tiujn ĉi du aferojn."

Chen Kang retiriĝis kaj diris kun ĝojo: "Mi demandis pri unu afero, kaj mi eksciis tri aferojn. Mi aŭdis pri la Poemoj. Mi aŭdis pri la decreguloj. Mi aŭdis ankaŭ pri la sintenado de la noblulo al sia filo."

진항이 백어에게 묻기를, "그대도 또한 아버지로부터 다른 들음이 있는가." 라고 하니 대답하기를, "없어요. 일찍이 홀로 서 계실 때 급히 뜰을 지나니 말씀하시기를, '시를 배웠느냐.' 고 하시니 답하기를, '아직 배우지 못했습니다.' 고 하니 말씀하시기를, '시를 배우지 아니하였다면 말할 수 없다.' 고 하시기에 나는 물러가서 시를 배웠어요. 다른 날에 또 홀로 서 계시기에 급히 뜰을 지나니 말씀하시기를, '예를 배웠느냐.' 고 하시니 대답하여 말하기를, '아직 배우지 못하였습니다.' 라고 하니 말씀하시기를, '예를 배우지 아니하면 다른 사람들과의 관계에서 행동하는 방법을 모르노라.' 고 하셔서 물러가서 예를 배웠습니다. 이 두 가지를 배웠습니다." 진항이 물러가서 기뻐하며 말하기를, "하나를 물어서 셋을 얻었으니 시를 듣고 예를 들었으며 또 군자가 그 아들을 대하는 것을 들었노라." 고 하였다.

14. La princo de regno nomas sian edzinon sinjorino. Ŝi nomas sin infaneto. La popolo de la regno nomas ŝin princedzino, kaj, en ĉeesto de aliregnanoj, li nomas ŝin eta lordino. Ankaŭ la aliregnanoj nomas ŝin princedzino.

나라 임금이 아내를 일컬어 말하기를, 부인이라고 하고 부인은 스스로 일컬어 말하기를, 소동이라고 하였다.
나라 사람이 일컬어 말하기를 군부인이라 하고 다른 나라 사람에게 말할 때는 과소군이라 하고 다른 나라 사람이 일컬어 또한 말하기를 군부인이라고 한다.

ĈAPITRO XVII YANG HUO   제17장 양화

1. Yang Huo deziris, ke Konfuceo vizitu lin, sed Konfuceo tion ne faris. Li do donis vaporkuiritan porkidon kiel donacon al Konfuceo, kiu, elektinte tempon, en kiu Yang Huo ne estis hejme, iris al li por esprimi sian dankon pro la donaco. Ili renkontiĝis sur la vojo.

Yang Huo diris al Konfuceo: "Venu. Mi deziras paroli kun vi." Konfuceo alpaŝis al li, kaj tiu diris: "Ĉu povas esti nomata virta tiu, kiu konservas sian grandan kapablecon kiel juvelon en sia sino kaj lasas sian landon en konfuzo?" Konfuceo silentis. Anstataŭe Yang Huo mem respondis: "Ne." Poste li ree demandis: "Ĉu povas esti nomata saĝa tiu, kiu deziras servi kiel regna oficisto kaj tamen foj-refoje perdas la ŝancon?" Konfuceo restis silenta. Yang Huo ree mem respondis: "Ne. - Pasas la tagoj kaj monatoj, la jaroj nin ne atendas."

Konfuceo diris: "Prave. Mi do enoficiĝos."

양화가 공자를 만나려고 했으나 공자께서 만나지 아니하셨는데 공자에게 선물로 돼지를 보내니 공자께서 그 없음을 틈타서 사례하려고 갔다가 돌아오는 길에 길에서 만나니 공자에게 말하기를, "오라. 내가 당신과 말하리라." 고 하며 이르기를, "그 보배를 품어서 그 나라를 미혹케 하는 것이 인이라고 이르는가." 라고 하니 공자 잠잠하시니 대신 이르기를, "옳지 않다." 고 하였다.

다시 이르기를, "일을 좇는 것을 좋아하되 자주 때를 잃는 것을 안다고 이르겠는가." 라고 하니 공자 잠잠하시니 대신 이르기를, "옳지 않다." 고 하였다. 이르기를, "해와 달이 가는지라 세월이

나와 더불어 하지 않을 것이다." 라고 하나 공자 말씀하시기를, "맞습니다. 장차 벼슬을 할 것입니다." 라고 하셨다.

2. La Majstro diris: "En niaj naturoj ni estas similaj unu al alia, sed kutimoj faras nin diferencaj inter ni."
공자 말씀하시기를, "성품은 서로 가까우나 습관에 따라 서로 멀어지는 것이다." 라고 하셨다.

3. La Majstro diris: "Nur la saĝaj de la plej alta klaso kaj la malsaĝaj de la plej malalta klaso estas neŝanĝeblaj."
공자 말씀하시기를, "오직 가장 지혜로운 자와 가장 어리석은 자는 바꾸지 못한다." 고 하셨다.

4. La Majstro, veninte al Wucheng, aŭdis tie sonojn de kordinstrumentoj kaj kantado. Ridetante li diris: "Kial do necesas uzi bovtranĉilon por mortigi kokon?"
Ziyou respondis: "Antaŭe, Majstro, mi aŭdis viajn vortojn: 'Kiam la noblulo estas bone instruita, li amas homojn; kiam la malgranda homo estas bone instruita, li estas facile regata.'"
La Majstro diris: "Miaj disĉiploj, la vortoj de Yan estas pravaj. Tio, kion mi ĵus diris, estas nur ŝerco."
공자께서 무성에 가시어 거문고와 노랫소리를 들으셨다. 공자께서 빙그레 웃으시며 말씀하시기를, "닭을 잡는 데 어찌 소 잡는 칼을 쓰겠는가." 라고 하시니 자유가 대답하여 말하기를, "옛적에 제가 선생님께 들으니 말씀하시기를, '군자가 도를 배우면 사람을 사랑하고 소인이 도를 배우면 부리기 쉽다' 고 하셨습니다."
공자 말씀하시기를, "제자들아. 인의 말이 옳다. 앞서 말한 것은 농담이었다." 고 하셨다.

5. Gongshan Furao, ekribelinte en Bi, invitis la Majstron al si, kaj la Majstro inklinis iri tien.
Tio malplaĉis al Zilu, kaj li diris: "Se ni povas iri al neniu loko, ni iru nenien. Kial do vi intencas iri al Gongshan?"
La Majstro diris: "Ĉu povas esti senmotiva lia invito? Se iu uzos min, mi reprosperigos la landon de Zhou-dinastio en la oriento."

공산불요가 비 땅에서 배반하고 공자를 부르거늘 공자께서 가려고 하니 자로가 기뻐하지 아니하고서 말하기를, "아무데도 갈 수 없다면 아무데도 가지 말 것이지 하필이면 공산씨에게 가시렵니까." 라고 하였다.
공자 말씀하시기를, "나를 부르는 것이 동기가 없을 수 있겠느냐. 만일 쓸 자가 있다면 나는 동주의 땅을 다시 부흥시킬 것이다." 라고 하셨다.

6. Zizhang demandis Konfuceon pri la perfekta virto. Konfuceo diris: "Tiu, kiu estas kapabla praktiki kvin aferojn ĉie sub la ĉielo, povas esti nomata homo perfekte virta."
Zizhang ree demandis: "Kio do ili estas?" Konfuceo diris: "Seriozeco, grandanimeco, sincereco, diligenteco kaj afableco. Tiu, kiu estas serioza, ne suferas malrespekton. Tiu, kiu estas grandanima, gajnas ĉiujn. Tiu, kiu estas sincera, estas konfidata de la popolo. Tiu, kiu estas diligenta, sukcesas en ĉio, kion li entreprenas. Tiu, kiu estas afabla, povas ricevi la

servojn de aliaj."

자장이 공자에게 인에 대해 물으니 공자 말씀하시기를, "능히 다섯 가지를 천하에 행할 수 있으면 어질다 할 것이다." 라고 하니 다시 묻기를, "그 다섯 가지는 무엇입니까." 라고 했다

공자 말씀하시기를, "공손한 것, 너그러운 것, 미더운 것, 민첩한 것, 자혜로운 것이니 공손하면 업신여기지 아니하고 너그러우면 무리를 얻고 미더우면 사람이 의지하고 민첩하면 공이 있고 자혜로우면 사람을 부릴 것이다." 라고 하셨다.

7. Kiam Bi Xi invitis la Majstron al si, tiu inklinis iri tien. Zilu diris: "Majstro, antaŭe mi aŭdis viajn vortojn: 'La noblulo ne eniras en la domon de tiu, kiu mem faras malbonon.' Bi Xi estas en ribelo en Zhongmum, kial vi volas iri al li?"

La Majstro diris: "Vi estas prava. Mi diris tion. Sed ĉu mi ne diris ankaŭ: 'Kio estas vere malmola, ne povas esti frotmaldikigita; kio estas vere blanka, ne povas fariĝi nigra per tinkturado?' Ĉu mi estas maldolĉa kukurbo, kiu taŭgas nur por pendigo, sed ne por manĝado?"

필힐이 공자를 초청하거늘 공자께서 가려고 하시니 자로가 말하기를, "옛적에 제가 선생님께 들으니, 말씀하시기를, '착하지 않은 짓을 하는 자의 집에 군자는 들어가지 않는다.' 고 하셨는데 필힐이 중모에서 반역을 하였는데 가려고 하시는 것은 어찌된 일입니까." 라고 하였다.

공자 말씀하시기를, "그러하다. 그런 말을 했었다. 하지만 또한 말하지 않았느냐. 정말로 단단한 것은 얇게 문지르지 못하며, 참으로 하얀 것을 염색으로 검게 할 수 없느냐? 내가 매달기만 하고 먹을 수 없는 달지않은 호박이겠느냐." 라고 하셨다.

8. La Majstro diris: "You, ĉu vi aŭdis pri la ses moralaj kvalitoj kaj ses malbonoj?" You respondis: "Ne."

"Sidiĝu, kaj mi diru al vi. Amo al virto sen amo al lerno kondukas al stulteco. Amo al saĝo sen amo al lerno kondukas al diboĉo. Amo al sincereco sen amo al lerno kondukas al sinvundo. Amo al verdiro sen amo al lerno kondukas al parolkrudeco. Amo al kuraĝo sen amo al lerno kondukas al malobeemo. Amo al animfirmeco sen amo al lerno kondukas al obstina aroganteco."

공자 말씀하시기를, "자로야. 네가 여섯 가지 도덕적 특성과 여섯 가지 악덕에 대해 들었느냐." 라고 하시니 대답하여 말하기를, "아직 듣지 못하였습니다." 라고 하였다.

"앉으라. 내가 너에게 말하리라. 인을 좋아하는데 배우기를 좋아하지 아니하면 어리석고, 지를 좋아하고 배우기를 좋아하지 아니하면 방탕하고, 믿음을 좋아하고 배우기를 좋아하지 아니하면 자해하고, 곧은 것을 좋아하고 배우기를 좋아하지 않으면 말이 거칠고, 용맹을 좋아하고 배우기를 좋아하지 아니하면 불순종하고, 강한 것을 좋아하고 배우기를 좋아하지 아니하면 고집스럽게 교만한 것이다." 라고 하셨다.

9. La Majstro diris: "Miaj knaboj, kial vi ne studas la Poemojn? La Poemoj povas helpi al vi eksciti vian imagon, altigi vian observkapablon, vivi en akordo kun aliaj, lerni kiel fari satiradon. Ili povas helpi vin en la servado al viaj gepatroj unuflanke kaj en la servado al la princo aliflanke. Plie, ili povas ankaŭ plivastigi vian konon pri la nomoj de birdoj, bestoj kaj vegetaloj."

공자 말씀하시기를, "너희들은 어찌하여 시를 배우지 아니 하는가. 시는 상상력을 일으키며 관찰력을 높이며 무리와 사귀게 하며 풍자 하는 방법을 배우는 데 도움이 있게 한다. 한 편으로 아비를 섬기 며 달리 임금을 섬기고 새와 짐승과 초목의 이름을 많이 알게 될 것이다." 라고 하셨다.

10. La Majstro diris al Boyu: "Ĉu vi jam studis «Zhounan» kaj «Shaonan»? La homo, kiu ne studis «Zhounan» kaj «Shaonan», estas kvazaŭ staranto kun la vizaĝo kontraŭ muro!"
공자께서 백어에게 일러 말씀하시기를, "너는 『주남』과 『소 남』을 배웠느냐 사람이 『주남』과 『소남』을 읽지 아니하면 그 것은 바로 담을 대하고 서 있는 것과 같은 것이다." 라고 하셨다.

11. La Majstro diris: "Decreguloj, decreguloj! Ĉu ili signifas nur donacadon de jado kaj silkaĵo? Muziko, muziko! Ĉu ĝi signifas nur sonadon de sonoriloj kaj tamburoj?"
공자 말씀하시기를, "예라 예라! 이르는 것이 옥과 비단을 이르는 것이겠는가. 악이라 악이라! 이르는 것이 종과 북을 이르는 것이겠 는가." 라고 하셨다.

12. La Majstro diris: "Tiu, kiu prenas severan mienon kaj tamen interne estas malforta, similas al malnoblulo, aŭ pli ĝuste, ŝtelisto, kiu trarompas aŭ transgrimpas muron."
공자 말씀하시기를, "밖으로 얼굴빛을 위엄있게 하고 안으로 마음 을 유약하게 하는 것을 소인에게 비유하면 그 벽을 뚫고 담을 넘는 좀도적과 같은 것이다." 라고 하셨다.

13. La Majstro diris: "La ĉionjesuloj estas difektantoj de la virto."
공자 말씀하시기를, "항상 예만 하는 이는 덕을 해치는 것이다." 라고 하셨다.

14. La Majstro diris: "Disvastigi kion vi aŭdis survoje estas forĵeti vian virton."
공자 말씀하시기를, "길에서 듣고 말하는 것은 덕을 버리는 것이다." 라고 하셨다.

15. La Majstro diris: "Ĉu ni povus servi la princon kune kun homo malnobla? Kiam tia homo ne ricevas postenon, li timas, ke li neniam povos ĝin akiri. Kiam li jam ricevis ĝin, li timas, ke li povos ĝin perdi. Se li timas, ke li povos perdi sian postenon, troviĝas nenio, kion li ne kuraĝus fari."
공자 말씀하시기를, "천박한 사람과 더불어 임금을 섬길 수 있겠느냐? 벼슬을 얻지 못하였을 때는 얻기를 근심하고 이미 얻어서는 잃을까 근심하니 진실로 잃을까 근심하는 자라면 의에 벗어난 어떤 일이라도 못할 것이 없을 것이다." 라고 하셨다.

16. La Majstro diris: "En la antikveco homoj havis tri malfortaĵojn, kiujn nun oni eble ne trovas. La aroganteco de antikvuloj montris sin en verdiremo; la aroganteco de nuntempuloj montras sin en senmodereco. La severa digno de antikvuloj montris sin en neofendebleco; la severa digno de nuntempuloj montras sin en malĝentileco. La stulteco de antikvuloj

montris sin en simpleco; la stulteco de nuntempuloj montras sin en trompemo."

공자 말씀하시기를, "옛날에는 백성에게 세 가지 병폐가 있었는데 오늘날은 혹 그것조차 없어진 것인저. 옛날의 뜻 높음은 직언으로 자신을 나타내고 오늘날 뜻 높음은 방탕하고, 옛날에 긍지는 약점이 없었는데 오늘날 긍지는 사납기만 하고, 옛날의 어리석음은 단순하기만 하였는데 오늘날 어리석음은 간사할 뿐이다." 라고 하셨다.

17. La Majstro diris: "Mielaj vortoj kaj hipokrita mieno estas ne ligitaj kun la vera virto."

공자 말씀하시기를, "말을 교묘하게 하고 얼굴빛을 좋게 하는 사람에게는 어진 이가 드물다." 고 하셨다.

18. La Majstro diris: "Mi abomenas la manieron, en kiu la purpuro forrabas de la cinabra ruĝo ĝian brilon. Mi abomenas la kantojn de Zheng, kiuj konfuzas la klasikan, konvencian muzikon. Mi abomenas tiujn, kiuj per siaj akraj langoj renversas regnojn."

공자 말씀하시기를, "자색이 주색을 빼앗는 것을 미워하며, 정나라 노래가 아악을 어지럽히는 것을 미워하며, 날카로운 혀로 나라를 전복하는 것을 미워한다." 고 하셨다.

19. La Majstro diris: "Mi preferus ne paroli." Zigong diris: "Se vi, Majstro, ne parolus, kion do ni, viaj disĉiploj, lernus kaj komunikus al aliaj?" La Majstro diris: "Ĉu Ĉielo parolas? La kvar sezonoj tamen ĉiam alternas kaj ĉio estas produktata. Ĉu Ĉielo diras ion?"

공자 말씀하시기를, "나는 말을 하지 아니하려고 하노라." 라고 하셨다. 자공이 말하기를, 선생님께서 만일 말씀하지 않으시면 저희들

은 무엇을 배우고 서로 교제하리까." 라고 하니 공자 말씀하시기를,
"하늘이 무슨 말을 하느냐 사시가 운행되고 온갖 사물이 생성되니
하늘이 무슨 말을 하겠느냐." 라고 하셨다.

20. Ru Bei deziris viziti Konfuceon, sed tiu rifuzis
akcepti lin, pretekstante malsaniĝon. Tuj kiam la
portanto de tiu ĉi mesaĝo eliris tra la pordo, Konfuceo
prenis sian se-on kaj kantis kun ĝia akompano, por ke
Ru Bei povu lin aŭdi.
유비가 공자를 뵙고자 하니, 공자께서 병으로 사양하시고, 말 전달
하는 자가 문을 나아가니 비파를 취하여 노래를 불러 그로 하여금
듣게 하셨다.

21. Zai Wo diris: "La trijara funebrado pro gepatroj
estas tro longa. Se la nobluloj sin detenas tri jarojn de
la plenumo de ritaj ceremonioj, la ritaj ceremonioj
estos tute perditaj. Se tri jarojn li sin detenas de la
muziko, la muziko estos ruinigita. La malnova greno
jam estas elĉerpita, kaj la nova jam estas produktita,
kaj, en frot-estigado de fajro, la ŝanĝoj de ligno estas
ree farinta sian ciklon. Do, laŭ mi, unu kompleta jaro
estus sufiĉa por la funebrado."
La Majstro diris: "Ĉu vi sentus vin trankvila, se vi,
kiam ankoraŭ ne pasus tri jaroj de post la morto de
via patro aŭ patrino, jam manĝus bonan rizon kaj
portus broditajn vestojn?"
"Jes, mi sentus min trankvila." respondis Zai Wo.
"Se vi povus senti vin trankvila, agu do laŭ via plaĉo.
Sed la noblulo, dum la tuta periodo de funebrado, ne

perceptus la bongustecon de frandaĵoj, se ilin li manĝus, nek trovus plezuron en la muziko, se ĝin li aŭdus. Li ankaŭ ne sentus sin trankvila, se li komforte loĝus. Tial li ne faras, kion vi proponas. Sed nun vi sentas vin trankvila, vi do agu laŭ via plaĉo."

Zai Wo eliris, kaj la Majstro diris: "Tio montras, ke al Yu mankas virto. La infaneto, post sia naskiĝo, ne povas forlasi la sinon de siaj gepatroj, ĝis ĝi havas la aĝon de tri jaroj, kaj tial la trijara funebrado estas universale observata en la tuta lando. Ĉu Yu ne ĝuis la trijaran gepatran amkaresadon?"

재아가 묻기를, "삼 년의 상은 기간이 너무 오랜 것 같습니다. 군자가 삼 년을 예를 하지 아니하면 예가 반드시 무너질 것이니 군자가 삼 년을 악을 하지 아니하면 악이 반드시 무너질 것이니 옛 곡식이 이미 다하고 새 곡식이 이미 오르고 마찰을 일으키는 불에서 나무를 바꿔 주기를 반복했습니다. 그래서 제 생각에 애도 기간은 만 1년이면 좋겠습니다." 라고 하니 공자 말씀하시기를, "아버지나 어머니가 돌아가신 지 3년이 지나지 않았는데도 좋은 밥을 먹고 수놓은 옷을 입으면 너에게 편안한가." 라고 하니 말하기를, "편안합니다." 라고 하였다.

공자 말씀하시기를, "네가 편안하면 하라 군자는 상 기간에 거할 때, 맛있는 것을 먹어도 달지 아니하며 풍류를 들어도 즐겁지 아니하며 거처함에 편안치 아니하니 그러므로 하지 않는 것이다. 이제 네가 편안하다니 그렇게 하여라." 고 하셨다.

재아가 나아가거늘 공자께서 말씀하시기를, "재아의 어질지 못함이여. 자식은 낳은 지 삼 년이 지난 후에야 부모의 품에서 벗어나는 것이니 삼 년의 상은 천하에 통하는 상인데 재아가 삼 년 동안 부모에게 사랑을 받지 않았는가." 라고 하셨다.

22. La Majstro diris: "Estas malfacile instrui tiun, kiu faras nenion alian krom ĝissate manĝi la tutan tagon. Ĉu ne troviĝas tiaj ludoj kiel ŝakoj? Ludi ilin certe estus pli bone ol fari absolute nenion."

공자 말씀하시기를, "배불리 먹고 종일토록 다른 할 일이 없으면 가르치기 어려운 일이다. 장기 두는 일이 있지 아니 하냐. 그것을 하는 것이 오히려 그치는 것보다 나을 것이다." 라고 하셨다.

23. Zilu diris: "Ĉu la nobluloj estimas kuraĝon?" La Majstro diris: "La nobluloj rigardas justecon kiel ion plej gravan. Nobluloj, havante kuraĝon sen justeco, inklinas fari ribelon; malgrandaj homoj, havante kuraĝon sen justeco, povas fariĝi rabistoj."

자로가 이르기를, "군자도 용맹을 숭상합니까." 라고 하니 공자 말씀하시기를, "군자는 의를 으뜸으로 삼는다. 군자는 용맹이 있고 의가 없으면 난을 일으킬 것이요, 소인은 용맹이 있고 의가 없으면 도적질을 하게 된다." 고 하셨다.

24. Zigong diris: "Ĉu ankaŭ la nobluloj havas siajn malamojn?" La Majstro diris: "Jes, ili havas. Ili malamas tiujn, kiuj diskonigas alies malbonojn. Ili malamas tiujn, kiuj, okupante malaltan postenon, kalumnias siajn superulojn. Ili malamas tiujn, kiuj havas kuraĝon kaj ne observas la decregulojn. Ili malamas tiujn, kiuj estas riskemaj kaj samtempe obstinaj."

Poste la Majstro demandis: "Ci, ĉu ankaŭ vi havas viajn malamojn?" Zigong respondis: "Mi malamas tiujn, kiuj atribuas al si atingojn de aliaj kaj rigardas sin kiel homoji saĝajn. Mi malamas tiujn, kiuj estas malmodestaj kaj pensas, ke ili estas bravaj. Mi malamas tiujn, kiuj emas malkaŝi sekretojn de aliaj kaj pensas, ke ili mem estas honestaj."

자공이 말하기를, "군자도 또한 미워하는 것이 있습니까." 라고 하니 공자 말씀하시기를, "미워하는 것이 있으니 사람의 악한 것을 드러내는 자를 미워하며 하류에 거하며 윗 사람을 비방하는 자를 미워하며 용맹하나 예가 없는 자를 미워하며 과감하나 고집스런 자를 미워한다." 고 하셨다.

공자 말씀하시기를, "자공, 또한 미워하는 것이 있느냐." 라고 하시니 말하기를, "남의 잘못을 살핌으로써 앎을 삼는 자를 미워하며 겸손하지 아니 하는 것을 용맹으로 삼는 것을 미워하며 남의 비밀을 드러내는 것으로써 정직을 삼는 자를 미워합니다." 라고 했다.

25. La Majstro diris: "Estas malfacile trakti la virinojn kaj malgrandajn homojn. Se vi estas familiara kun ili, ili perdas sian humilecon. Se vi estas malintima al ili, ili estas malkontentaj."

공자 말씀하시기를, "오직 여자와 소인은 대하기 어려우니 가까이 하면 겸손치 않고 멀리 하면 원망하게 된다." 고 하셨다.

26. La Majstro diris: "Kiam la homo en la kvardeka jaro estas ankoraŭ malŝatata de homoj, li restos ĉiam tia, kia li estas."

공자 말씀하시기를, "나이 사십이 되고도 미움을 받으면 그는 항상 그대로 있을 것이니라." 고 하셨다.

ĈAPITRO XVIII WEI ZI 제18장 미자

1. La vicgrafo Wei retiriĝis el la korteganeco. La vicgrafo Ji fariĝis sklavo al Zhou. Bi Gan faris admonon kaj estis mortigita. Konfuceo diris: "Yin-dinastio ja havis ĉi tiujn tri virtulojn."
미자는 물러나고 기자는 주나라의 종이 되고 비간은 간하다 죽었다. 공자 말씀하시기를, "상나라에 세 어진이가 있었다." 고 하셨다.

2. Hui de Liuxia, estante kriminala juĝisto, estis trifoje eksigita je la ofico. Oni diris al li: "Ĉu ankoraŭ ne estas tempo por vi, sinjoro, forlasi ĉi tiun landon?" Li respondis: "Servante homojn en honesta maniero, kien mi iros, kaj ne spertos tiajn trifojajn eksigojn? Se mi servus homojn en malhonesta maniero, kiel do necesus al mi forlasi la landon de miaj gepatroj?"
유하혜가 노나라 재판관이 되어 세 번 쫓겨나니 사람이 말하기를, "자네가 떠나지 못하겠는가." 라고 하시니 말하기를, "도를 곧게 하여 사람을 섬기면 어디를 간들 세 번 내치지 아니하며 도를 굽어서 사람을 섬기면 어찌 반드시 부모의 나라를 버리겠느냐." 라고 하셨다.

3. La princo Jing de Qi, rilate la manieron en kiu li devos trakti Konfuceon, diris: "Mi ne povos trakti lin en la maniero, en kiu la suvereno de Lu-regno traktas la ĉefon de Jifamilio. Mi traktos lin en maniero inter tiu donita al la ĉefo de Ji-familio kaj tiu donita al la ĉefo de Meng-familio." Li diris ankaŭ: "Mi estas maljuna kaj ne povas praktiki liajn doktrinojn."

Konfuceo do foriris el Qi-regno.

제나라 경공이 공자를 기다려 말하기를, "노나라 군주가 계씨를 대하듯 내 능히 하지는 못하지마는 계씨와 맹씨의 중간 정도 대우는 하리라." 고 하고 말하기를, "내가 늙었기 때문에 능히 쓰지 못하겠다." 고 하니 공자께서 제나라를 떠나 가셨다.

4. Qi-regno donacis al Lu-regno muzikistinojn, kiujn Ji Huan akceptis, kaj pro tio okazis nenia kortega aŭdienco dum tri tagoj. Konfuceo do foriris el Lu-regno.

제나라 사람이 노나라에 여악사를 보내주니 계환자가 받고 삼일을 조회하지 아니하니 공자께서 노나라를 떠나셨다.

5. La frenezulo de Chu-regno, Jieyu, preterpasis la kaleŝon de Konfuceo, kantante kaj dirante: "Ho Feng-birdo! Ho Feng-birdo! Kiel via virto degeneras! Koncerne la pasintecon, admono estas senutila; sed la estonteco povas esti antaŭzorgata. Forlasu do kion vi sekvas. Forlasu do kion vi sekvas. Danĝero atendas tiujn, kiuj nun sin okupas pri aferoj de regado." Konfuceo elkaleŝiĝis kaj deziris konversacii kun li, sed Jieyu tuj rapidis for, tiel ke Konfuceo ne povis paroli kun li.

초나라의 광인 접여가 공자의 수레 앞을 지나며 노래하기를, "봉이여, 봉이여, 어찌 덕이 쇠하였는가. 지나간 것은 간하여 고치지 못하지마는 오는 일은 미리 대비할 수 있으니 말지어다, 말지어다. 오늘날 정사를 좇는 것은 위태할 것이다." 라고 하니 공자께서 내리시어 더불어 말하고자 하니 빨리 달려가 피하므로 더불어 말하지 못하셨다.

6. Kiam Changju kaj Jieni kune laboris sur kampo, Konfuceo preterpasis ilin kaj sendis Zilu por demandis pri la pramejo.

Changju diris: "Kiu estas tiu, kiu tenas kaprimenojn en la kaleŝo tie?"

Zilu diris al li: "Tiu estas Kong Qiu".

"Ĉu tiu ne estas Kong Qiu el Lu-regno?" li demandis.

"Jes," estis la respondo.

"Li scias, kie estas la pramejo," diris Changju.

Zilu do demandis Jieni, kiu diris al li:

"Kiu vi estas, sinjoro?"

Li respondis: "Mi estas Zhong You."

"Ĉu vi ne estas disĉiplo de Kong Qiu el Lu-regno?" demandis Jieni.

"Mi estas." li respondis.

"Malordo, kvazaŭ inundo, regas en la tuta lando, kaj kiu estas tiu, kun kiu vi penas ŝanĝi ĝin? Ĉu ne pli bone estus sekvi tiujn, kiuj evitas la tutan mondon, ol sekvi tiun, kiu evitas nur tiun kaj ĉi tiun?" diris Jieni kaj senĉese kovradis per tero la semitajn semojn.

Zilu revenis kaj raportis iliajn dirojn.

Konfuceo diris kun suspiro: "Estas neeble por ni ariĝi kun birdoj kaj bestoj. Se mi havus rilatojn ne kun homoj, kun kiuj do mi povus havi rilatojn? Se justaj principoj regus en la lando, estus ne necese, ke mi penu ŝanĝi ĝian staton kune kun vi."

장저와 걸익이 아울러 밭을 가는데 공자께서 지나다가 자로를 시켜 나루를 묻게 하니 장저가 말하기를, "저 수레 고삐를 잡은 사람이 누구냐.” 고 하니 자로가 말하기를, “공구이시다.” 라고 하니 말하기를, “그러면 노나라 공구이냐.” 고 하니 말하기를, “그렇다.” 고 하니 말하기를, “그렇다면 나루를 알 것이다.” 라고 하셨다.

걸익에게 물으니 걸익이 말하기를, “자네는 누구냐.” 고 하니 말하기를, “자로입니다.” 라고 하니 말하기를, “그렇다면 노나라 공구의 무리이냐.” 고 하니 대답하기를, “그렇다.” 고 하니 말하기를, “범람하듯 무질서가 천하에 가득차니 누구와 더불어 고칠 수 있겠는가 또 네가 사람을 피하는 선비를 따르는 것이 세상을 피하는 선비를 따르는 것만 같겠는가.” 라고 하고 씨앗 덮는 것을 그치지 아니하였다 자로가 돌아와서 고하니 부자께서 의심하며 말씀하시기를, “조수와는 무리를 같이하지 못하리니 내가 이 사람의 무리와 더불지 않고 누구와 더불겠는가 천하에 도가 있다면 내가 구태여 고치려고 하지 않을 것이다.” 라고 하셨다.

7. Foje Zilu, sekvante la Majstron, postiĝis kaj renkontis maljunulon, kiu portis sarkilon per bastono sur la ŝultro.

Zilu demandis: “Ĉu vi vidis mian Majstron, sinjoro?”

La maljunulo respondis: “ŝajnas al mi, kiel li povas esti nomata majstro, se liaj kvar membroj ne taŭgas por peniga laboro kaj ne povas distingi la kvin specojn de greno?” Dirinte tion, li plantis sian bastonon en la teron kaj komencis sarkadon, dume Zilu staris respektoplene kun kunigitaj manoj surbruste.

La maljunulo invitis Zilu pasigi la nokton en lia domo, buĉis kokon, manĝpretigis milion kaj regalis lin. Li ankaŭ prezentis al li siajn du filojn. La sekvantan tagon Zilu daŭrigis sian vojon kaj raportis ĉion tion al Konfuceo.

La Majstro diris: "Li estas ermito," kaj sendis Zilu returne, por ree vidi lin, sed, kiam li atingis la lokon, la maljunulo jam foriris.

Zilu do diris: "Ne enoficiĝi ne estas laŭ la justeco. Se la rilato inter la maljuna kaj la juna ne devas esti neglektata, kiel do oni povas malatenti la rilaton inter la suvereno kaj la ministroj? Dezirante konservi sian personan purecon, li lasas, ke tiu granda rilato estu konfuzita. Por la nobluloj enoficiĝo celas nur plenumi la justajn devojn apartenantajn al ĝi. Koncerne la neefektivigeblecon de niaj principoj, ĝi jam de longe estas sciata."

자로가 공자를 따라 뒤에 가다가 지팡이에 대그릇을 맨 노인을 만나 자로가 묻기를, "노인은 우리 선생님을 보았습니까." 라고 하니 노인이 말하기를, "사지가 애써 일하는데 적당하지 못하며 오곡을 분별하지 못하는데 누가 선생이냐." 고 하고 지팡이를 땅에 꽂고 김을 매었다. 자로가 공손하게 섰더니 노인은 자로를 하룻 밤 머물러 묵게 하고 닭을 잡고 기장밥을 지어 먹이고 그 두 아들을 뵙게 하였다 다음날 자로가 떠나와서 공자께 고하니 공자께서 말씀하시기를, "은둔자로다." 라고 하시고 자로로 하여금 다시 돌아가 보게 하시어 가본즉 그는 떠나버렸다. 자로가 그 집 사람에게 말하기를, "벼슬하지 않으면 의가 없어질 것이다. 장유의 예절도 폐하지 못하거늘 군신의 의를 어찌 폐하겠는가 자기의 몸을 정결케 하고자 하여 도리어 큰 인간관계를 어지럽게 함이로다 군자가 벼슬을 하는 것은 그 의를 행하고자 한 것이니 도가 행해지지 못할 것은 우리도 이미 알고 있다." 고 하였다.

8. La homoj, kiuj ermitiĝis por eviti la mondon, estis Boyi, Shuqi, Yuzhong, Yiyi, Zhuzhang, Hui de Liuxia

kaj Shaolian. La Majstro diris: "Rifuzi lasi sian volon malfirmigita kaj rifuzi lasi sian personecon malhonorita - tiaj, mi pensas, estas Boyi kaj Shuqi." Parolante pri Hui de Liuxia kaj Shaolian, li diris: "Ili lasis sian volon malfirmigita kaj lasis sian personecon malhonorita, sed iliaj vortoj estis konformaj al iliaj principoj kaj iliaj agoj estis faritaj post konsideroj. Tio estas ĉio, kion oni povas rimarki en ili." Parolante pri Yuzhong kaj Yiyi, li diris: "Dum ili kaŝis sin en sia izoliteco, ili donis liberecon al siaj vortoj, sed ili sukcesis en konservado de la pureco de sia personeco, kaj ilia ermitiĝo estis nur ilia artifiko. Koncerne min, mi estas diferenca de ĉiuj ĉi homoj. Por mi ekzistas nenio, kion mi povus fari aŭ ne povus fari."

세상을 피해 숨어사는 사람은 백이, 숙제, 우중, 이일, 주장, 유하혜, 소련이다 공자 말씀하시기를, "그 뜻을 굽히지 아니하고 그 몸을 욕되게 하지 않은 이는 백이와 숙제이다." 라고 하셨다. 유하혜와 소련을 이르시기를 "뜻을 굽히고 욕되게 하였으나 말이 윤리에 맞으며 행실은 생각한 뒤에 행했으니 이것은 두 사람의 좋은 점일 뿐이다." 라고 하셨다.

우중과 이일을 이르시기를, "숨어 거하며 말을 함부로 하나 몸가짐을 깨끗이 하고 스스로 폐하는 것이 계략일 뿐이었다. 나는 이와는 달라 가한 것도 없으며 가하지 아니한 것도 없다." 고 하셨다.

9. La granda muzik-majstro, Zhi, forlasis Lu-regnon kaj iris al Qi-regno. Gan, la majstro de la muziko ludata ĉe la dua manĝo, iris al Chu-regno. Liao, la majstro de la muziko ludata ĉe la tria manĝo, iris al Cai-regno. Que, la majstro de la muziko ludata ĉe la

kvara manĝo, iris al Qin-regno. Fangshu, la tambur-majstro retiriĝis al la nordo de la Flava Rivero. Wu, la majstro de tambureto, retiriĝis al la Han-rivera regiono. Yang, la asistanta muzikmajstro, kaj Xiang, majstro de la ŝtona frapinstrumento, retiriĝis al apudmara regiono.

태사 지는 노나라를 떠나 제나라로 가고 아반이었던 간은 초나라로, 삼반이었던 요는 채나라로, 사반이었던 결은 진나라로, 북을 치는 방숙은 하내로 들어가고 소고를 흔드는 무는 한중으로, 소사인 양과 경쇠를 치는 양은 바다섬으로 들어갔다.

10. La duko de Zhou alparolis la princon de Lu, dirante: "La nobluloj ne neglektas siajn parencojn, nek igas la grandajn ministrojn plendi pri tio, ke ili ne estas konfidataj. Sen ia granda kaŭzo ili ne deoficigas siajn malnovajn amikojn, nek eksigas la maljunajn oficistojn. Ili ne serĉas en unu homo talentojn por ĉia laboro."

주공이 노공을 일컬어 말씀하시기를, "군자는 자기 친척을 버리지 아니하며, 대신으로 하여금 써주지 않는 원망을 품게 하지 아니하며 큰 사고가 없거든 옛 벗을 내치거나 늙은 대신을 그만두게 아니하며 한 사람에게 모든 것이 갖추어진 자를 구하지 않는다." 고 하셨다.

11. En Zhou-dinastio estis ok eminentaj kleruloj: Boda, Bokuo, Zhongtu, Zhonghu, Shuye, Shuxia, Jisui kaj Jigua.

주나라에 여덟 선비가 있었으니, 백달, 백괄, 중돌, 중홀, 숙야, 숙하, 계수, 계왜이었다.

ĈAPITRO XIX ZI ZHANG 제19장 자장

1. Zizhang diris: "Klerulo, kiu vidas danĝeron, estas preta oferi sian vivon. Kiam la okazo de gajno sin prezentas al li, li pensas pri justeco. Dum oferado liaj pensoj direktiĝas al respekto; dum funebrado liaj pensoj estas okupitaj de malĝojo. Tia homo meritas nian aprobon."

자장이 말하기를, "선비가 나라의 위태한 것을 보면 목숨을 버리고 이익을 보면 의리를 생각하며 제사에는 공경을 생각하고 초상에는 슬픔을 생각하면 칭찬받을 만하다." 라고 했다.

2. Zizhang diris: "Kiam iu tenas sin je la virto sen firmeco kaj kredas justajn principojn sen fideleco, kian signifon povas havi lia ekzisto aŭ neekzisto?"

자장이 말하기를, "덕을 가지기를 굳게 하지 못하며 도를 믿기를 도탑게 하지 못하면 그의 존재와 비존재가 무슨 의미가 있겠는가." 라고 하였다.

3. La disĉiploj de Zixia demandis Zizhang pri la principoj de la interhomaj rilatoj. Zizhang diris: "Kion Zixia diris pri la temo?" Ili respondis: "Zixia diris: 'Havu rilatojn kun tiuj, kiuj povas esti utilaj al vi. Rifuzu rilatojn kun tiuj, kiuj ne povas esti tiaj.'"

Zizhang diris: "Tio ĉi estas diferenca de tio, kion mi lernis. La nobluloj devas honori la talentajn kaj virtajn kaj toleri ĉiujn. Ili laŭdas la bonajn kaj kompatas la senkapablajn. Ĉu mi posedas grandajn talentojn kaj virton? Se jes, kiajn homojn do mi ne povos toleri? Ĉu mi estas sentalenta kaj senvirta? Se jes, tiam homoj rifuzos rilatojn kun mi. Kial do necesos, ke mi rifuzu rilatojn kun ili?"

자하의 문인이 친구 사귀는 것을 자장에게 물으니 자장이 말하기를, "자하가 무어라고 하던가." 라고 하니 대답하기를, "자하가 말하기를, '유익한 자를 사귀고 그 유익하지 아니한 자를 거절하라' 하더니다." 라고 하니 자장이 말하기를, "내가 들은 바와 다르다. 군자는 어진 이를 존경하고 무리를 용납하며 착한 것을 아름답게 여기고 능치 못한 것을 불쌍히 여길 것이니 내가 크게 어질다면 사람에게 어찌 용납되지 못할 것이며 내가 어질지 못하다면 사람이 장차 나를 거절할 것이니 어찌 그 사람을 거절하겠느냐." 라고 하셨다.

4. Zixia diris: "Eĉ en malsuperaj studoj kaj artoj troviĝas io inda je konsidero. Sed timante, ke ili povus malhelpi la efektivigon de tio, kio estas malproksima kaj alta, la nobluloj ne sin okupas pri ili."

자하가 말하기를, "비록 보잘것없는 학문과 예술에도 고려할 가치가 있다. 그러나 군자는 멀리 높은 것을 행하는 데 방해가 될까 봐 하지 않는다." 고 하셨다.

5. Zixia diris: "Tiu, kiu de tago al tago sciiĝas, kion li ne sciis, kaj de monato al monato ripetas, kion li jam ellernis, povas esti nomata lernema."

자하가 이르기를, "날마다 자기의 모르는 바를 알며 달마다 그 배운 바를 반복하면 배움을 좋아한다고 할 것이다." 라고 하였다.

6. Zixia diris: "Vaste lernu kaj havu firman celon; demandu kun modesteco kaj pensu pri aktualaĵoj:

ankaŭ en tio kuŝas la virto."

자하가 이르기를, "배우는 것을 널리 하고 뜻을 도탑게 하며 겸손하게 묻고 실제적인 것부터 생각하면 어진 것이 그 가운데 있는 것이다." 라고 하였다.

7. Zixia diris: "Metiistoj loĝas en siaj metiejoj por plenumi siajn laborojn. Nobluloj faras lernadon por atingi la plejaltecon de la principoj."

자하가 이르기를, "모든 기술자는 공장에서 그 일을 이루고 군자는 배워서 그 도를 이룬다." 고 하였다.

8. Zixia diris: "La malgrandaj homoj havas la inklinon kaŝi siajn kulpojn."

자하가 이르기를, "소인은 허물을 감추려고 한다." 고 하였다.

9. Zixia diris: "Noblulo havas tri facetojn. Kiam oni rigardas lin de malproksime, li aperas severa; kiam oni alproksimiĝas, li estas milda; kiam oni aŭdas lin paroli, li estas serioza."

자하가 이르기를, "군자의 모습에 세 가지 변하는 것이 있는데 멀리서 바라보면 엄하고 가까이 나아가면 온화하고 그 말을 들으면 진지하다." 라고 하였다.

10. Zixia diris: "La nobluloj ne trudas laborojn al sia popolo, ĝis ili akiras ties fidon, alie oni pensus, ke ili subpremas. Ili ne admonas sian princon, ĝis ili akiras ties fidon, alie tiu pensus, ke ili kalumnias."

자하가 이르기를, "군자는 미덥게 한 뒤에 그 백성을 부려야 할 것이니 그렇지 않으면 자기가 억눌렸다고 생각할 것이다. 군자는 미덥게 한 뒤에 그 임금에게 간해야 할 것이니 그렇지 않으면 비난 한다고 생각할 것이다." 라고 하였다.

11. Zixia diris: "Oni ne povas transpasi la limlinion en la grandaj virtoj, sed koncerne la malgrandajn virtojn, oni povas ĝin iom transpasi."
자하가 이르기를, "큰 덕이 법도를 넘지 아니하면 작은 덕은 나고 들더라도 좋을 것이다." 라고 하였다.

12. Ziyou diris: "La disĉiploj de Zixia sufiĉe taŭgas por fari balaadon kaj gast-akceptadon. Sed ĉi tiuj aferoj estas nur bagatelaĵoj facile lerneblaj, kaj ili restas sensciaj pri kio estas esenca. - Kiel do tiamaniere ili povus fariĝi sufiĉe instruitaj?"
Zixia aŭdis pri tio kaj diris: "Ho ve! Yan You estas erara. El la objektoj de instruado de la noblulo, kiuj estas de la unua graveco kaj devas esti unue instruataj? Kaj kiuj estas de la dua graveco kaj devas esti poste instruataj? Ili estas kiel plantoj, kiuj estas ordigitaj laŭ siaj klasoj. Kiel do la maniero de instruado de noblulo povus esti distordita? Kredeble estas nur la sankta saĝulo, kiu povas, de la komenco ĝis la fino, procedi precize laŭ la natura ordo en sia instruado!"
자유가 말하기를, "자하의 문인이 쓸며 응하고 대답하며 나가고 물러갈 때를 당하여서는 가하나 말단의 일인지라 근본이 없으니 어찌하겠는가." 라고 하였다.
자하가 듣고 말하기를, "아아! 자유가 잘못이구나. 군자의 도가 어느 것을 먼저라 하여 전하고 어느 것을 뒤라 하여 게을리 하겠는가 초목에 비유한다면 구별하여 분별이 있다 군자의 도도 어찌 속이겠느냐 처음이 있고 끝이 있음이 한결같은 자는 아마도 오직 성인일 것이다." 라고 하였다.

13. Zixia diris: "La regna oficisto, havante superfluan energion, devas dediĉi sian liberan tempon al lernado. La lernanto, fininte sian lernadon, devas klopodi fariĝi regna oficisto."
자하가 말하기를, "벼슬하고 남은 힘이 있으면 배우고 배움을 마치고 벼슬을 하도록 힘써야 할 것이다." 라고 하였다.

14. Ziyou diris: "Funebrado sufiĉas en tia grado, en kia oni povas plene esprimi sian malĝojon."
자유가 말하기를, "상례는 슬픔을 극진히 할 따름이다." 라고 하였다.

15. Ziyou diris: "Mia amiko Zizhang estas laŭdinda pro tio, ke li povas plenumi, kion aliaj trovas malfacile plenumebla, sed li tamen ne estas perfekte virta."
자유가 말하기를, "나의 벗 자장이 어려운 것을 하는 데는 능하나 어질지는 못하다." 고 하였다.

16. Majstro Zeng diris: "Kiel imponan teniĝon Zizhang havas! Estas malfacile kune kun li praktiki la virton."
증자가 말하기를, "당당하다, 자장이여. 더불어 함께 어진 것을 하기는 어렵도다." 라고 하였다.

17. Majstro Zeng diris: "Mi aŭdis de nia Majstro la jenon: 'La homo ne povas plene esprimi ĉion, kio estas en li, krom en la okazo, kiam li funebras pro la

morto de sia patro aŭ patrino.'"

증자가 말하기를, "내가 선생님에게 들으니 '사람이 보통 일에는 자기의 심정을 극진히 하지 못하지마는 부모의 상에는 반드시 애통함을 다할 것이다.' 라고 하셨다." 라고 하였다.

18. Majstro Zeng diris: "Mi aŭdis de nia Majstro la jenon: La fila fideleco de Meng Zhuang, ĝenerale dirite, estas atingebla por aliaj; sed rilate tion, ke li ne ŝanĝis la ministrojn de sia patro, nek lian regmanieron, ĝi estas malfacile atingebla por aliaj."

증자가 말하기를, "내가 부자께 들으니 '맹장자의 효도는 다른 사람도 다할 수 있겠지마는 그 어버이의 가신과 어버이의 하던 정사를 고치지 아니 하는 것 이것은 능하기 어려운 일이다.' 라고 하셨다." 라고 하였다.

19. La ĉefo de Meng-familio nomumis Yang Fu kriminala juĝisto, kaj tiu konsultis Majstron Zeng. Zeng diris: "Nuntempe la regantoj malbone plenumas siajn devojn, kaj tial inter la popolo jam longe regas senordeco. Se vi eltrovos la veron de iu ajn akuzo, kompatu la krimulon kaj ne sentu ĝojon pro via propra kapablo."

맹씨가 양부로 법관인 사사를 삼은 지라. 양부가 스승인 증자께 물었다. 증자께서 말하기를, "위에서 그 도를 잃어서 백성이 흩어진 지 오래니 만일 그 고발의 진실을 알았을 것 같으면 불쌍히 여기고 적발한 것을 기뻐하지 말라." 고 하였다.

20. Zigong diris: "La malvirteco de Zhou eble ne estis tiel granda, kiel oni diskonigadis. Tial la nobluloj

malvolas troviĝi en malalta situacio, kie ĉiaj malbonoj
de la mondo povus flui sur ilin.”

자공이 말하기를, "주왕의 착하지 않은 것이 이와 같이 심한 것은
아니다. 그러므로 군자는 낮은 상황에 처하기를 싫어하는 것이니
이것은 천하의 악이 다 그 위로 흐르기 때문이다." 라고 하였다.

21. Zigong diris: “La kulpoj de la noblulo estas kvazaŭ
eklipsoj de la suno kaj luno. Kiam li havas kulpojn,
ĉiuj vidas ilin; kiam li sin korektas, ĉiuj rigardas
supren al li kun respekto.”

자공이 말하기를, "군자의 허물은 일식 월식과 같아서 허물이 있
으면 사람이 다 보게 되고 고치면 사람이 다 우러러보게 된다." 고
하였다.

22. Gongsun Chao de Wei demandis Zigong: “De kiu
do Zhongni ricevis sian erudicion?” Zigong respondis:
“La doktrinoj de Wen kaj Wu ankoraŭ ne perdiĝis. Ili
troviĝas inter homoj. Homoj talentaj kaj virtaj memoras
la pli grandajn principojn de ili, kaj aliaj, kiuj ne estas
tiel talentaj kaj virtaj, memoras la malpli grandajn. Tial
ĉie troviĝas la doktrinoj de Wen kaj Wu. Kie do nia
Majstro ne povus havi okazon de lernado? Kaj kial do
necesus al li havi regulan instruiston?”

위나라 공손조가 자공에게 묻기를, "공자는 어디서 배웠는가." 라
고 하니 자공이 대답하기를, "문왕과 무왕의 도가 아직 땅에 떨어
지지 않아 사람에게 남아 있으니 어진 이는 그 큰 것을 기록하고
어질지 못한 이는 그 작은 것을 기록함에 문왕과 무왕의 도가 아닌
것이 없으니 선생님께서는 어디선들 배우지 아니하겠으며 또한 어
찌 일정한 스승이 있겠는가." 라고 하였다.

23. Shusun Wushu diris al la grandaj oficistoj en la princa palaco: "Zigong estas pli talenta kaj pli virta, ol Zhongni." Zifu Jingbo raportis la diron al Zigong.

Zigong diris: "Permesu al mi uzi la komparon de domo kaj ĝia ĉirkaŭmuro. Mia ĉirkaŭmuro atingas nur ĝis la ŝultroj. Oni povas rigardi trans ĝin kaj vidi ĉion valoran en la ĉambroj. La ĉirkaŭmuro de mia Majstro estas plurajn renn-ojn alta. Se oni ne trovas la pordon kaj eniri tra ĝi, oni ne povas vidi la prapatran templon kun ĝiaj belaĵoj, nek la domojn kun iliaj ornamaĵoj. Sed mi supozas, ke estas tre malmultaj tiuj, kiuj povas trovi la pordon. Do, ĉu ne estas natura la diro de s-ro Wushu?"

숙손무숙이 조정에서 대부에게 말하기를, "자공이 공자보다 똑똑합니다." 고 하였다.

자복경백이 자공에게 고했더니 자공이 말하기를, "궁실 담에 비유한다면 나의 담은 어깨에 미쳐서 집안의 좋은 것을 엿볼 수 있으려니와 부자의 담은 몇 길이나 높아서 그 문을 들어가지 않으면 종묘의 아름다움과 백관의 호화한 것을 볼 수 없는 것이다." 고 하였다. 그 문에 들어간 사람은 적으니 무숙의 한 말이 또한 자연스럽지 않겠는가." 라고 하였다.

24. Shusun Wushu kalumnie parolis pri Zhongni, kaj Zigong diris: "Ne tiel parolu. Zhongni ne estas kalumniebla. La talentoj kaj virto de aliaj estas montetoj, kiujn oni povas transpaŝi. Zhongni estas la suno kaj la luno, kiujn oni neniel povas transpaŝi. Eĉ se oni dezirus rifuzi la brilon, kian malutilon li povus

fari al la suno kaj la luno? Tio montrus nur, ke li ne konus sian propran kapablon."

숙손무숙이 공자를 헐뜯어 말하니 자공이 말하기를, "그렇게 말하지 말라. 선생님은 가이 헐뜯을 수 없다. 다른 사람의 어진 것은 언덕과 같아서 넘을 수 있지마는 선생님은 해와 달이라 아무도 넘을 수 없다. 사람이 비록 밝음을 끊으려 한들 어떻게 일월을 손상하겠는가. 마치 자기의 능력을 깨닫지 못하는 것을 자주 드러낼 뿐이다." 라고 하였다.

25. Chen Ziqin diris al Zigong: "Vi estas tro modesta. Kiel Zhongni povus esti pli talenta kaj pli virta eĉ ol vi?"

Zigong diris: "Pro unu vorto homo povas esti kalkulata kiel saĝa, kaj pro unu vorto li povas esti kalkulata kiel malsaĝa. Ni do devas esti singardaj pri niaj vortoj. Nia Majstro ne estas atingebla tiel same, kiel la ĉielo ne estas ascendebla per ŝtuparo. Se nia Majstro estus en la pozicio de princo de iu regno aŭ feŭdoposedanto, ni trovus konfirmita tion, kion oni diras: kiam li volus, ke la popolo staru per la deco, ili tuj starus per la deco; kiam li gvidus ilin antaŭen, ili tuj lin sekvus; kiam li feliĉigus ilin, homoj de malproksime tuj amase venus sub lian regadon; kiam li stimulus ilin, ili tuj fariĝus unuanimaj. Dum li vivas, li estas glora. Se li mortus, li estus amare prilamentata. Kiel do li povus esti atingita de mi?"

진자금이 자공에게 말하기를, "그대가 겸손한 것이지 공자가 어찌 그대보다 똑똑하겠는가." 라고 하였다.

자공이 말하기를, "군자는 한 마디 말로 지혜롭게 되기도 하고 한

마디 말로 지혜롭지 못하게 되기도 하므로 말은 삼가지 않을 수 없는 것이다. 선생님께서 미치지 못하는 것은 하늘에 사다리를 놓고 올라가지 못하는 것과 같다.

선생님께서 나라를 얻어서 다스리신다면 소위 '백성의 살 방도를 세우면 세워지고 인도 하면 따르고 편안하게 하면 오고 고쳐시키면 화하고 살아 계실 때는 영광스럽고 돌아가신 때에는 모두 슬퍼할 것이다' 그 어찌 미칠 수 있겠느냐." 라고 하였다.

ĈAPITRO XX YAO YUE   제20장 요왈

1. Yao diris: "Ho vi, Shun! Laŭ la volo de Ĉielo nun vi devas heredi mian tronon. Firme tenu la Ĝustan Mezon kun sincereco. Se mizero regos interne de la kvar maroj, la suvereneco, donita de Ĉielo al vi, venos al fino por eterne." La samajn vortojn uzis ankaŭ Shun, kiam li cedis la tronon al Yu.

Tang diris: "Mi, la infano Lü, arogas al mi uzi nigran bovon kiel viktimon kaj arogas al mi kategorie diri al Vi, ho la plej majesta suvereno Ĉielo, ke la pekulojn mi ne kuraĝas pardoni, kaj la bonecon kaj malbonecon de Viaj ministroj, ho Ĉielo, mi ne kaŝas, ĉar ilin Vi ekzamenas per Via menso, Ĉielo. Se mi mem faras krimojn, mi ne atribuas ilin al la popolo en la miriadoj da regionoj. Se en la miriadoj da regionoj oni faras krimojn, ĉi tiuj krimoj devas esti atribuitaj al mi."

La suvereno de Zhou-dinastio faris grandajn donacojn, tiel ke la bonuloj estis riĉigitaj. "Kvankam mi havas proksimajn parencojn, tamen ili ne estas egalaj al la virtuloj. Se la popolo faras pekojn, ili devas esti atribuitaj al mi."

Li unuecigis la pezojn kaj mezurojn, restarigis la oficojn forĵetitajn, tiel ke liaj dekretoj estis bone plenumataj en la tuta lando. Li revivigis regnojn, kiuj jam estingiĝis, restarigis familiojn, kies heredlinio jam rompiĝis, kaj enoficigis kompetentulojn, kiuj antaŭe estis neglektataj, tiel ke en la tuta lando la koroj de la popolo turniĝis al li.

Por li la plej gravaj estis la popolo, la nutraĵo, la funebraĵoj kaj la oferadoj.

Per sia grandanimeco li gajnis la popolon. Per sia sincereco li igis la popolon meti sian fidon sur lin. Per sia favora agado li atingis grandajn sukcesojn. Per sia justeco li ĝojigis ĉiujn homojn.

요임금이 말씀하시기를, "아아, 순아, 하늘의 운수가 그대에게 있으니 진실로 그 중을 잡아라 천하가 곤궁하면 하늘이 주신 녹이 영원히 끊어질 것이다." 라고 하셨다

순임금이 또한 우임금에게 명하였다 이르기를, "저 소자 리는 감히 검은 소를 제물로 하여 거룩하신 하느님께 밝게 아뢰옵니다 죄가 있는 자를 감히 용서하지 아니하고 하느님의 신하인지라 이를 가리지 않고 오직 하느님의 뜻대로 간택한 것입니다.

제 몸에 죄가 있으면 그 죄는 만방에 있지 않고 만방에 죄가 있으면 죄는 저의 몸에 있는 것입니다 주나라 무왕이 크게 상주는 일이 있는데 착한 사람에게 넉넉히 주었습니다." 라고 하였다. 비록 주변에 착한 사람이 있으나 어진 사람만 못하고 백성이 허물이 있다면 그 책임은 나 한 사람에게 있을 것이다

도량형을 바로 하며 법과 제도를 살펴 정비하고 없어진 관서를 수리하니 사방의 정치가 잘 시행되었다. 없어진 나라를 일으키고 끊어진 세대를 이어주고 숨은 사람을 들어 쓰니 천하 백성의 마음이 주나라로 돌아갔다. 백성에게 가장 소중한 것은 민생문제와 상례와 제례였다 너그러우면 무리를 얻을 것이요 믿음이 있으면 백성이 신임할 것이요 민첩하면 공적이 있을 것이요 공평하면 모두 기뻐할 것이다." 고 하셨다.

2. Zizhang demandis Konfuceon: "Kiel do homo en aŭtoritato devas agi, por ke li povu dece konduki la regadon?"

La Majstro respondis: "Li honoru la kvin bonajn aferojn kaj forigu la kvar malbonajn, tiam li povos dece konduki la regadon."

Zizhang diris: "Kio do estas la kvin bonaj aferoj?"

La Majstro diris: "Ili estas, ke la homo en aŭtoritato bonfaras al la popolo sen siaj grandaj elspezoj; ke li metas taskojn sur la popolon sen ilia plendo; ke li sekvas la virton sen avideco je profito; ke li estas digne trankvila sen fiereco; ke li estas majesta sen feroceco."

Zizhang diris: "Kion do signifas bonfari al la popolo sen siaj grandaj elspezoj?"

La Majstro respondis: "Kiam la homo en aŭtoritato igas la popolon fari aferojn, el kiuj ili povas ricevi profitojn, ĉu tiam li ne bonfaras al la popolo sen siaj grandaj elspezoj? Kiam li elektas laborojn, kiuj estas konvenaj al la popolo, kaj igas ilin labori super ili, kiu do plendos? Kiam li sekvas la virton kaj ĝin atingas, kian profiton do li avidos? Kiam li havas rilatojn kun homoj, li ne kuraĝas montri malrespekton al ili, tute egale, ĉu ili estas multaj aŭ malmultaj, ĉu potencaj aŭ senpotencaj; ĉu tio ne signifas, ke li estas digne trankvila sen fiereco? Li bonordigas siajn vestojn kaj ĉapon kaj montras dignecon en sia mieno, tiel ke, rigardate lin, oni sentas timon; ĉu tio ne signifas, ke li estas majesta sen feroceco ?"

Zizhang demandis: "Kio do estas la kvar malbonaj aferoj?"

La Majstro diris: "Puni la popolon per morto sen

antaŭa eduko al ili tio estas nomata krueleco. Postuli de ili tujan plenan sukceson en laboro sen averto al ili - tio estas nomata abrupta trudemo. Doni ordonojn kvazaŭ sen urĝeco kaj, kiam la tempo venas, insisti pri rapida plenumo - tio estas nomata fuŝado de aferoj. Kaj doni pagojn aŭ rekompencojn al homoj, sed tion fari en domaĝa maniero - tio estas nomata avareco."

자장이 공자에게 묻기를, "어떻게 하면 정사에 종사할 수 있겠습니까." 라고 하니 공자 말씀하시기를, "다섯 가지 미덕을 존중하고 네 가지 악덕을 물리치면 정사에 종사할 수 있을 것이다." 라고 하셨다. 자장이 묻기를, "무엇을 다섯 가지 미덕이라 합니까." 라고 하니 공자 말씀하시기를, "군자는 은혜를 베풀되 허비하지 않고 수고롭게 하되 원망하지 않고 덕을 따르고자 하되 탐내지 않고 태연하되 교만하지 않고 위엄이 있으되 사납지 않은 것이다." 라고 하셨다.

자장이 다시 묻기를, "은혜를 베풀되 허비치 않는다는 것은 무슨 뜻입니까." 라고 하니 공자 말씀하시기를, "백성의 이로움이 될 만한 것으로 이롭게 하면 이것은 은혜를 베풀되 허비하지 않는 것이 아니겠는가 수고할 만한 것을 가려서 수고롭게 하면 누구를 원망하겠느냐 덕을 따르고자 하여 얻었으니 어찌 탐내는 것이 되겠느냐 군자는 사람의 많고 적음이나 능력이 있고 없고에 관계없이 감히 거만치 않나니 이것이 태연하되 교만치 않은 것이 아니겠느냐 군자는 의관을 바르게 하고 그 용모를 엄정히 하여 사람들이 그 엄연한 것을 바라보고 두려워하나니 이것이 위엄이 있으되 사납지 않은 것이 아니겠느냐." 라고 하셨다.

자장이 묻기를, "그러면 네 가지 악덕은 무엇입니까." 라고 하니 공자 말씀하시기를, "가르치지 않고 함부로 죽이는 것을 잔학이라 이르고 미리 알려 주의시키지 않고 완성을 요구하는 것을 억지라고 이르고 명령을 느리게 하고 기한을 재촉하는 것을 황당이라 이르고 사람들에게 주어야 할 경우에 내고들임에 인색한 것을 탐욕이라 이르는 것이다." 라고 하셨다.

3. La Majstro diris: "Tiu, kiu ne konas la volon de Ĉielo, ne povas esti noblulo. Tiu, kiu ne konas la decregulojn, ne povas firme stari inter homoj. Tiu, kiu ne konas vortojn, ne povas koni homojn."
공자 말씀하시기를, "천명을 알지 못하면 군자가 될 방법이 없고 예를 알지 못하면 세상에서 떳떳하게 행사할 수 없고 말을 알지 못하면 사람을 알 수 없을 것이다." 라고 하셨다.

Pri esperanta tradukinto
에스페란토 옮긴이 왕숭방(王崇芳) 소개

왕숭방(王崇芳(WANG Chongfang): 1936~)
"...Mi hazarde ekkonis Esperanton. Ĝi tuj altiris min
per sia "interna ideo". Zamenhof estis judo ordinara,
sed li havis koron plenan de homamo, kiu instigis lin
krei Esperanton kaj dediĉi sian tutan vivon al la
disvastigo kaj aplikado de ĝi, kio akirigis al li
universalan respekton de la esperantistaro..."

"...바로 그때 나는 우연히 에스페란토를 만나게 되었습니다. 곧장
에스페란토의 '내적 사상'에 정말 심취하게 되었습니다. 자멘호프는
평범한 유대인이었으나, 그분은 온 인류를 사랑하는 마음으로 에스
페란토라는 언어를 창안하고, 이 언어 보급과 활용에 전 생애를 보
냈습니다. 그분의 삶은 전 세계 에스페란티스토의 큰 존경을 이끌어
냈습니다..."

-왕숭방의 "21세기의 나의 꿈" 중에서

S-ano Wang Chongfang naskiĝis la 30an de junio 1936 en Zhenjiang, Ĉinio. Emerita mezlerneja instruisto. Ekkonis Esperanton en 1953 kaj esperantistiĝis en 1957. Esperantigis Kamelon Ŝjangzi, Analektojn de Konfuceo, Profilon de Zhou Enlai, Ĉinan Ceramikon, Da De Jing de Laŭzi kaj aliajn librojn. Kompilinto de Granda Vortaro Ĉina-Esperanta kaj Granda Vortaro Esperanto-Ĉina.

중국 강소(江苏)성 진강(镇江) 출신으로 중학 고급교사(中学高级教师)로 봉직했다. 1953년 국제어 에스페란토를 독습하고, 1957년 에스페란티스토가 되었다. 1959년 하얼빈사범대학 중문(中文)과를 졸업, 중학교 영어 교사로 부임했다. 나중에 강소성 에스페란토협회 이사, 부회장을 역임했다. 1991년 중국에스페란토협회 이사로 당선되었다. «중국보도(中国报道)» 잡지사, <외문출판사> 에스페란토부에서 278건의 원고를 번역하고, «모택동시사(毛泽东诗词)»를 에스페란토 번역했다.

사전 편찬에도 괄목할만한 성과를 이뤄냈다. «에스페란토-중국어 사전(世界语汉语词典)»(1987년 출판)에 편찬자의 일원으로 참여했다. «중국어-에스페란토 대사전(汉语世界语大词典)»(2007년 출간)과 «에스페란토-중국어 대사전(世界语汉语大词典)»(2015년 출판)의 편저자였다. 특히 «에스페란토-중국어 대사전(世界语汉语大词典)»은 세계에스페란토 사용자들로부터 호평을 받았다.

주요 번역 작품은 중국 4대 고전(«대학(大学)», «중용(中庸)», «논어(论语)», «맹자(孟子)») 은 물론이고, «장자(庄子)», «손자병법(孙子兵法)», «채근담(菜根谭)», «도덕경(道德經)», «육조단경(六祖坛经)», «역경(易经)» 등이 있다. 그밖에도 번역작품으로 «낙타 상자(骆驼祥子)», «주은래 전략(周恩来传略)», «중국도자사화(中国陶瓷史话)», «에스페란토 실용 중급 교재(世界语实用中级课本)» 등이 있다.

2021년에는 «금병매(金瓶梅)»를 에스페란토로 번역 작업을 수행하고 있다.

한글 번역자의 말

공자의 모든 말씀은 매우 아름다운 도덕 사상과 삶의 진리를 담고 있습니다. 그것들은 지혜의 광채를 발하고 우리가 반복해서 읽을 가치가 있습니다.

『논어』의 언어는 간결하고 유창합니다. 이 책은 주로 공자와 제자들의 짧은 대화나 제자들이 제기한 질문에 대한 답변으로 구성되어 있지만, 그럼에도 그 안에 표현된 사상은 매우 풍부하고 깊습니다.

그의 사상과 가르침이 기록된 『논어』는 유교의 가장 중요한 책입니다. 오랫동안 우리나라에서 모든 학생에게 필수 교과서로 사용되었습니다.

1594년에 이탈리아 선교사인 마테오 리치에 의해 라틴어로 처음 번역되었고 많은 외국어 번역본이 등장했습니다.

에스페란토로 이 책을 읽고 싶어하는 에스페란티스토 청중을 만족시키기 위한 목적으로 왕숭방 선생이 번역한 책을 장정렬 번역가를 통해 구하게 되어 학습에 도움이 되도록 에한 대역으로 실으면서 독자들이 동양 사상의 정수를 느끼기를 소망합니다. 아울러 에스페란토 실력도 배양하는 시간이 되기를 바랍니다.

번역하면서 익숙한 표현이나 문구는 가급적 살리면서 이해하기 쉽도록 풀어쓴 에스페란토 번역가의 의도를 알아 한글로 번역했습니다. 미숙한 부분은 후배의 질정을 바라며 많은 사람이 읽고 즐거운 학습을 하고 군자의 길을 더듬으며 보다 살기 좋은 세상을 만드는데 동참해 주시기를 기대합니다.

------------------------------ 한글번역자 오 태영(Mateno)